Mieux vivre avec ses émotions et celles des autres

Dans la collection Eyrolles Pratique :

- *Slow down*, John Hapax
- *Examens : en forme le jour J*, Jean-Marc Bayle
- *Mieux vivre avec l'analyse transactionnelle*, Alain Cardon
- *Sortir des conflits avec les autres*, Christophe Carré
- *La PNL*, Catherine Cudicio
- *Mieux connaître sa personnalité*, Jean-François Decker
- *Petit guide de la retraite heureuse*, Marie-Paule Dessaint
- *Savoir et oser dire Non*, Sarah Famery
- *Arrêter de culpabiliser*, Sarah Famery
- *Avoir confiance en soi*, Sarah Famery
- *Oser s'exprimer*, Guyette Lyr
- *Couple : où en êtes-vous ?*, Catherine Olivier
- *Manipulation : ne vous laissez plus faire !*, Jacques Regard

Didier Hauvette
en collaboration avec Christie Vanbremeersch

Mieux vivre avec ses émotions et celles des autres

Illustrations
Dimitri Champain

EYROLLES

Éditions Eyrolles
61, Bld Saint-Germain
75240 Paris Cedex 05
www.editions-eyrolles.com

Mise en pages : Istria

Retrouvez-nous sur http://www.mieuxvivreavecsesemotions.com pour obtenir plus d'informations, poser vos questions et donner votre point de vue.

Vous pouvez aussi nous écrire à l'adresse suivante :
Gordon Management, 7 rue de Surène - 75008 Paris
info@gordon-management.fr

Remerciements

Je tiens avant tout à remercier :

- Thomas Gordon, qui, par son livre *Leaders efficaces*, m'a permis de prendre un tournant important dans ma vie et de répondre à une aspiration que je ressentais depuis des années. Il m'a ouvert la voie d'un nouveau métier et d'une grande satisfaction professionnelle. Ses techniques d'écoute, d'« affirmation positive » et plus généralement d'efficacité relationnelle sont toujours une des bases de nos interventions.
- Catherine Aimelet Périssol, pour la richesse et la profondeur de son travail ainsi que pour l'intelligence avec laquelle elle a su nous en faire profiter. Les concepts, les outils et les images qu'elle a mis au point (le crocodile, et le totem, entre autres) sont devenus un pilier important de nos savoir-faire.
- Ma femme Alix et mes enfants Pierre, Marion et Philippe, pour leur patience dans les moments de rédaction et de bouclage et dans mes phases de travail intensif.
- Christie Vanbremeersh qui m'a soutenu dans la rédaction de ce livre.

Je remercie également :

- Dominique Van Egroo, Joëlle Carte et Florence Picard qui m'ont aidé à des moments clés de sa réalisation.
- Ann About, Karine Pouvil et Blandine Delcroix pour leur aide régulière et efficace.

- L'ensemble des consultants de Gordon Management et de Gordon France pour la richesse de leurs réflexions et de leurs apports.
- Béatrice Bélisa et Stéphane Donadey qui ont été à l'origine du développement en France des formations Gordon.
- Tous les participants que nous avons formés et coachés au cours des années passées, pour leur confiance, leur ouverture d'esprit et la motivation avec laquelle ils se sont engagés dans les processus pédagogiques que nous leur avons proposés.

Didier Hauvette

Avertissement

Ce livre n'a pas de prétention scientifique. Il s'appuie sur des travaux nombreux réalisés au cours des 50 dernières années, aussi bien en France qu'aux États-Unis. Son objectif : mettre leurs résultats à la portée de gens n'ayant pas encore eu l'opportunité de suivre des formations dans ce domaine ou recherchant des ouvrages pratiques et faciles à lire.

Tous les exemples découlent de situations réelles. Ils ont parfois été modifiés pour les rendre plus explicites ou enlever le côté anecdotique.

Pour approfondir les sujets traités dans ce livre, et plus particulièrement leur application dans le domaine du management, vous pouvez également vous procurer, des mêmes auteurs, *Le pouvoir des émotions* (Éditions d'Organisation, juillet 2004).

Sommaire

Introduction : Nous sommes assis sur un tas d'or 11

Première partie : Se connaître 21

Chapitre 1 : Comprendre ce qui se passe en nous 23

Chapitre 2 : Utiliser ses émotions comme moteur 43

Deuxième partie : Prendre confiance en soi 67

Chapitre 3 : Construire les fondations 69

Chapitre 4 : Se mettre en route vers son objectif 91

Troisième partie : Communiquer 117

Chapitre 5 : Développer son efficacité relationnelle 119

Chapitre 6 : Passer de l'opposition au partenariat 153

Quatrième partie : Vivre ensemble 175

Chapitre 7 : Construire la confiance 177

Chapitre 8 : Garder le cap dans la tempête 195

Conclusion : Et si le paradis, c'était les autres ? 213

Bibliographie 217

Table des matières 219

Introduction

Nous sommes assis sur un tas d'or

Depuis 1978, les consultants de Gordon France, Gordon Management et moi-même avons rencontré, formé, coaché plus de 30 000 personnes. Certaines sont venues de leur propre initiative, d'autres ont participé à des séminaires ou à des entretiens individuels à la demande du responsable des ressources humaines de leur entreprise.

Nous sommes toujours frappés de voir combien les réactions émotionnelles et les dérapages dans la communication jouent un rôle majeur dans la plupart des difficultés rencontrées par les personnes avec lesquelles nous travaillons. Les difficultés techniques ou matérielles sont rarement les plus difficiles à résoudre. Les problèmes viennent le plus souvent de ce qui se passe en nous : les émotions qui nous assaillent, la difficulté que nous avons à faire passer notre message et à gérer les réactions de nos interlocuteurs.

Pourquoi cela se termine-t-il toujours de la même manière ?

« Dès que je suis bousculé, je ne peux pas m'empêcher de m'énerver et je m'en veux... »
« Je suis incapable de dire non. J'ai du mal à m'affirmer, c'est vraiment pénible... »
« Il y a des moments où je fais gaffe sur gaffe... Pourquoi est-ce que je parle autant ? »
« Pourquoi suis-je aussi cassant ? »

Nous retombons toujours dans les mêmes pièges : nous aimerions nous comporter de la façon que nous dictent notre intelligence et notre raison, et nous n'y parvenons pas...

C'est plus fort que moi

« Ah, si nous pouvions laisser les émotions au vestiaire... S'il était possible de résoudre les problèmes uniquement avec sa tête ! » Malheureusement, ou heureusement, ce n'est pas le cas. Car c'est bien de cela dont il s'agit : nous passons notre temps à être remués, énervés, freinés par des réactions émotionnelles, les nôtres et celles de nos interlocuteurs.

***Isabelle** veut changer d'orientation professionnelle : après dix ans de cours de théâtre, encouragée par tous ses professeurs, elle souhaite devenir actrice professionnelle. C'est un pas difficile à franchir. Elle a toutes sortes de démarches à effectuer : auprès de l'administration pour changer de régime, auprès de ses parents pour qu'ils l'hébergent un moment, auprès de contacts donnés dans le milieu du théâtre... Or elle passe ses journées à regarder le téléphone. Sa décision est prise, mais au moment de passer à l'action elle est tétanisée.*

***Michel** est à la retraite depuis quelques années, après avoir occupé des fonctions de cadre dirigeant dans un grand groupe. Le passage d'une vie à l'autre a été difficile, mais il s'est reconverti dans le bénévolat et a créé une association destinée à faciliter le passage à la retraite de cadres. Activités culturelles ou caritatives, conférences, cette association est très active... Pourtant le nombre de ses membres ne progresse pas. Michel, en effet, cherche à reproduire le modèle hiérarchique qu'il appliquait dans son entreprise : « Le chef, c'est moi, et ceux qui ne sont pas d'accord peuvent toujours aller s'inscrire ailleurs. » Bien sûr, il ne le dit pas réellement, et pourtant c'est bien ainsi que ses interlocuteurs perçoivent son message. Cette attitude autoritaire décourage de nombreux adhérents, qui se disent : « On a assez de soucis dans la vie de tous les jours, pour s'embêter dans la vie associative ! » Conscient qu'une partie de ses efforts est annulée par son autoritarisme, Michel n'arrive pourtant pas à laisser plus d'initiatives aux autres...*

***Amélie** est une femme d'âge mûr dont les enfants ont grandi et s'installent dans leur propre appartement. Apparemment, leur départ ne lui pose pas de* *problème ; cependant, au cours des derniers mois, elle a lancé une dizaine de projets, d'un chœur de negro-spirituals à une activité de conseil pour jeunes mères de familles, en passant par un vieil oncle auquel elle fait la lecture toutes les semaines et des projets de croisière au Moyen-Orient pour le printemps... Tout le monde la félicite : « Dis donc, tu prends bien le départ de tes enfants ! » Mais elle se sent saturée : à force de s'éparpiller elle ne sait plus où elle en est, aucun de ses chantiers n'avance et elle est au bord de l'épuisement ; pas étonnant, elle réfléchit sans arrêt !*

« C'est plus fort que moi, disons-nous souvent après coup, je n'ai pas pu m'empêcher de faire cette remarque désagréable... Je n'ai pas trouvé les arguments pour faire passer mon idée... J'ai encore parlé à tort et à travers... »

Parfois, il nous semble que les commandes de notre vie nous échappent, nous emmenant là où nous ne voulons pas aller. Nous voyons bien que quelque chose ne va pas, mais nous ne savons pas *quoi précisément*. Nous percevons tant de talents inexprimés, de possibilités inexploitées en nous et autour de nous. Nous ne réussissons que trop rarement à partager nos côtés merveilleux et efficaces. Vivre ensemble devrait être une source de bien-être, cela devient trop souvent l'occasion de frustrations et de stress.

Quand nous sommes détendus, nous avons envie de faire avancer les choses et vivre des relations harmonieuses avec notre entourage. Dès que nous replongeons dans le quotidien, les automatismes reprennent le dessus et les turbulences redémarrent !

Quand parviendrons-nous à faire mieux ! Est-ce possible ?

Le paradoxe des réactions émotionnelles

Quand la tension monte, il faudrait être encore plus attentif aux paroles prononcées ; ce sont, au contraire, nos réactions les plus automatiques et irréfléchies qui dominent. Selon notre personnalité, l'énervement, l'éparpillement ou l'immobilisme vont dicter nos actions et réactions. Quelle frustration, et quel gâchis !

Le pire, c'est que nous entrons alors dans de véritables cercles vicieux : mes réactions émotionnelles vont déclencher auprès de mon interlocuteur d'autres réactions émotionnelles, qui vont à leur tour renforcer les miennes, et ainsi de suite. Nous ne maîtrisons ni ce qui se passe en nous, ni ce qui se passe chez l'autre. Selon les moments c'est agaçant ou déprimant.

Le tas d'or

Le tas d'or, vous l'avez compris, c'est tout ce potentiel dont nous disposons à titre individuel et collectif, et auquel nous n'avons pas accès. C'est aussi le plaisir et le sentiment de plénitude éprouvés quand les relations sont optimales au sein d'un groupe (conjoint, famille, amis, compagnons de voyage, environnement professionnel, etc.). Pour l'avoir observé autour de nous, nous savons tous combien ce bien-être ne dépend pas des réussites professionnelles, sportives, artistiques... Il ne dépend pas non plus des conditions matérielles ou physiques. Et même des personnes ayant atteint un niveau élevé de réussite ont parfois l'impression de ne pas être pleinement épanouies.

> Le temps s'écoule, les occasions passent, et nous contemplons le décalage grandissant entre ce que nous aurions aimé vivre et ce que nous vivons « pour de vrai ». Quelle frustration de ne pas obtenir les résultats escomptés, de ne pas réaliser les projets auxquels nous tenons, de ne pas vivre le type de relations auxquelles nous aspirons...

Si nous savions mieux utiliser notre potentiel, notre vie serait transformée ! Mais nous n'y parvenons pas, et il est souvent difficile de trouver quelqu'un qui soit en mesure de nous aider.

Nous sommes assis sur un tas d'or

Le tas d'or collectif

En observant ce qui se passe dans nos groupes amicaux, familiaux ou professionnels, nous pouvons mesurer à quel point ce trésor inexploité est important : nos limites et nos frustrations se cumulent avec celles de nos interlocuteurs, nos réactions s'exacerbent et se renforcent mutuellement. Quel gachis !

Choisies ou pas, les personnes de notre entourage sont dotées de qualités mais également de défauts ; toutes ont quelque chose qui nous manque, et il leur manque certaines des qualités que nous avons. Quand nous sommes détendus, nous en sommes conscients et tout se passe bien.

Et pourtant, souvent pour des raisons mineures, l'ambiance se dégrade, les tensions apparaissent. Tous, nous en souffrons et le regrettons. Pourquoi ces conflits alors que nous avons foncièrement envie d'être heureux, bien dans notre peau et de profiter du plaisir de vivre ensemble ?

La meilleure façon d'accéder à ce tas d'or collectif consiste à permettre à ceux qui nous entourent d'être pleinement eux-mêmes et de faire en sorte que nous puissions, nous aussi, nous épanouir.

Le tas d'or

« Enfin, j'ai trouvé les manettes ! »

Nous aimerions vous entendre dire cette phrase après avoir mis en œuvre les principes et savoir-faire présentés dans ce livre. C'est l'objectif poursuivi par nos formations ou entretiens avec des managers, des professionnels et des particuliers. Et les résultats sont au rendez-vous : à la fin du processus, ils ont acquis une maîtrise beaucoup plus grande de ce qui se passe en eux et autour d'eux, et plus de plaisir dans leurs relations avec les autres.

Ils ont trouvé le mode d'emploi d'eux-mêmes et réussi à apprivoiser leurs réactions instinctives. Nous ne voulons pas vous faire croire que c'est facile, cela demande du temps et de la persévérance... Mais, entre autoritarisme et laisser-faire, une troisième voie existe, et elle est accessible à chacun d'entre nous.

Les résultats que vous pouvez espérer, seront d'autant plus rapides que vous aurez envie de progresser et de persévérer :

- dans un premier temps, il s'agit d'utiliser les outils les plus simples et ainsi obtenir des premiers résultats rapides. Ces progrès vous motiveront pour continuer ;
- en utilisant ensuite les techniques de communication présentées, vous mettrez en place des changements observables par votre entourage ;
- au bout de quelques semaines, à la seule condition de maintenir une vigilance attentive pendant ce temps, vous aurez acquis de véritables automatismes.

Comme dans tout apprentissage, ce qui paraît compliqué au démarrage devient petit à petit familier. Les techniques que nous allons vous présenter vont peut-être vous surprendre. Elles sont, à la fois très simples et différentes des formations traditionnelles. Elles se veulent avant tout pragmatiques. Elles ne sont pas le fruit du hasard, mais l'aboutissement de cinquante années d'expérience, de travail, de réflexions et de recherches au sein des équipes Gordon et des courants parallèles qui se sont développés en France et aux États-Unis.

Si vous avez déjà lu des livres sur le sujet, vous verrez que celui-ci est en phase avec plusieurs grands courants : écoute, assertivité, négociation gagnant-gagnant, école de Palo Alto, PNL (Programmation neurolinguistique), thérapies comportementales, entre autres.

Comment utiliser ce livre ?

Ce livre est votre outil. Lecteur, accordez-vous toutes les libertés... Voilà celles que nous recommandons :

- **zappez**, picorez, grappillez. Lisez ce qui vous intéresse, zappez le reste ;
- **faites des petits pas.** Commencez à utiliser ces techniques dans des situations où l'enjeu est peu important. Lancez-vous ! Il sera toujours temps, quand vous vous sentirez prêt, de vous attaquer aux situations plus difficiles ;
- **n'ayez pas peur** de vous tromper ni de revenir en arrière. Jamais on ne vous reprochera d'essayer de vous améliorer... Alors qu'on peut vous reprocher de stagner et de toujours reproduire les mêmes comportements ;
- **parlez** autour de vous de ce que vous apprenez dans ce livre. Communiquez, utilisez, transmettez, partagez... C'est la meilleure manière de vous approprier ce que vous avez lu !

Première partie

Se connaître

Chapitre I

Comprendre ce qui se passe en nous

« L'herbe du voisin est toujours plus verte, jusqu'au moment où on se rend compte que c'est du gazon artificiel... »

M. Schultz, dans la bouche de Snoopy (Peanuts)

Objectif de ce chapitre

Comprendre la logique des réactions émotionnelles, les nôtres et celles des autres.

Vous y trouverez :

- Ces émotions qui nous gouvernent
- Les trois états de défense
- La spirale de l'incompréhension
- Nos trois besoins vitaux
- Nous avons les qualités de nos défauts
- Arrêtons de nous culpabiliser

Philippe *emmène souvent ses petits-enfants en vacances en Bretagne. Parmi eux, il a « ses têtes » ; il supporte mal Coralie, la fille de sa fille. Pas très dégourdie pour grimper aux arbres ou sur un bateau, elle a en revanche la langue bien pendue et ne se prive pas de contredire son grand-père, ou d'argumenter, lorsqu'il donne un ordre. Au bout de quelques jours, il n'en peut plus et lui répond brutalement « Enfant gâtée ! ». La petite ne répond pas. Philippe sait très bien que la relation de confiance est écornée avec Coralie et ses autres petits-enfants ; mais sa réaction a été plus forte que lui : quand il se sent mis en cause, il ne peut s'empêcher de réagir de façon cassante...*

***François** part en mission avec des collègues et leur « grand chef ». Il est très content de cette occasion de mieux connaître son patron. Ils sont « anciens » de la même école d'ingénieurs, et cette mission sera pour François l'opportunité de mettre en évidence sa contribution au sein de l'équipe. Tout au long du voyage, cependant, il est tétanisé par son patron. Il reste muet en sa présence. Ses collègues, eux, n'ont aucun problème pour échanger avec lui et s'exprimer de façon naturelle. Certains pensent que François pourrait faire un minimum d'efforts sur le plan relationnel. Ceux qui le connaissent mieux sont désolés pour lui : « Quel dommage qu'il soit aussi timide ! »*

***Marina** va passer le week-end dans sa belle-famille. Elle s'entend bien avec ses beaux-parents mais ne sait pas toujours quoi leur dire, ce qui la met mal à l'aise... Elle a l'impression que cela leur fera plaisir si elle leur parle un peu de Julien, leur fils, et si elle leur raconte quelques anecdotes de leur vie ensemble. Lorsqu'ils vont se coucher, Marina subit les remontrances de Julien : « Tu es vraiment obligée de raconter notre vie aux parents ? Tu ne peux pas te taire de temps en temps ? » Piteuse, Marina baisse les épaules...*

Peut-être vous êtes-vous reconnu dans l'une ou l'autre de ces histoires... Philippe, François et Marina n'ont pas choisi ce qui leur arrive : chacun de nous a parfois l'impression de déraper. Ces réactions sont automatiques, inhérentes au fonctionnement de tout être humain. Seuls ceux qui ont déjà travaillé sur eux-mêmes ont réussi à les atténuer.

Ces émotions qui nous gouvernent

Pourquoi les situations nous échappent-elles ? Pourquoi dérapons-nous toujours au pire moment ?

Lorsqu'ils nous voient en mauvaise posture, les autres pensent que nous ne réalisons pas ce qui nous arrive. Ils ne comprennent pas que nous commettions toujours les mêmes « erreurs », aberrantes à leurs yeux. De la même manière, nous avons souvent du mal à accepter que les autres reproduisent les mêmes schémas, même si nous leur avons exprimé à quel point cela nous était pénible !

1. Comprendre ce qui se passe en nous

Et pourtant... Nous sommes parfaitement conscients d'avoir les réactions que l'on nous reproche. À maintes reprises, nous avons essayé de les corriger, mais elles sont *plus fortes que nous.*

Cette impression d'être prisonniers de nous-mêmes est l'un des éléments pénibles de la vie. Comme nous aimerions pouvoir changer de registre ! Jour après jour, des situations équivalentes se présentent et, trop souvent, nous replongeons. C'est la raison pour laquelle nombreux sont ceux qui considèrent les relations humaines comme illogiques et « casse-gueule ».

Après vingt-cinq années d'accompagnement de managers et de particuliers, nous avons pu vérifier que, contrairement aux apparences, les relations humaines obéissent à une logique.

> Nos fonctionnements internes et nos relations avec les autres répondent à un ensemble de lois aussi rigoureuses que celles de la physique, même si elles n'ont pas encore été codifiées de façon aussi précise.

Pour commencer à découvrir ces lois humaines

Nous vous proposons, à l'aide du tableau qui suit, d'identifier un certain nombre de situations et de personnes face auxquelles vous vous êtes senti(e) inquiet(e), agacé(e) ou fatigué(e). Nous vous recommandons de reporter le tableau sur une feuille.

Ce qui se passe en moi	Ça m'inquiète Ça m'angoisse	Ça m'agace Ça m'énerve	Ça me fatigue Ça me pèse
Personnes	• ... • ...	• ... • ...	• ... • ...
Situations	• ... • ...	• ... • ...	• ... • ...

Vous remarquerez qu'une même situation provoque en vous des réactions différentes selon votre niveau de stress. De la même manière, une personne peut susciter des réactions différentes selon la situation et les enjeux. Plus les interactions avec cette personne sont fréquentes et les liens resserrés, plus les réactions sont susceptibles d'être violentes et compliquées.

Vous remarquerez aussi que l'une des formes de réaction est pour vous presque automatique ; une deuxième fréquente, mais moins irrésistible ; la troisième beaucoup moins présente.

Prendre en compte les émotions dans notre vie professionnelle

« Laissez les émotions au vestiaire ! », entendions nous, il n'y a pas si longtemps, en milieu professionnel. Est-ce possible ? Notre attitude varie selon les personnes qui nous entourent et le rôle social que nous sommes en train de jouer, et pourtant nous sommes toujours une seule et même personne ! Les émotions sont une partie intégrante de nous-mêmes, indissociables de « qui nous sommes », même si elles présentent à première vue beaucoup d'inconvénients...

Quand le rôle des salariés consistait principalement à utiliser leurs mains et leur force physique, il était encore possible de leur demander de laisser de côté cette part d'eux-mêmes. Mais aujourd'hui, les tâches à accomplir deviennent de plus en plus complexes, et l'effort de réflexion demandé à chacun croît en proportion. Faire taire nos émotions devient non seulement insupportable, mais contre-productif ! Dans la plupart des métiers, et pas seulement dans le secteur créatif, l'intelligence émotionnelle fait partie des atouts incontournables.

> L'une des façons les plus efficaces de réussir et de s'épanouir sur le plan professionnel consiste à tirer le meilleur parti possible de nos réactions émotionnelles et de celle de notre entourage.

1. Comprendre ce qui se passe en nous

Prendre en compte les émotions avec notre famille, nos amis, notre entourage

Les émotions sont le pire et le meilleur de ce que nous partageons avec notre entourage. Combien de fois ne nous sommes-nous pas disputés avec ceux que nous aimons le plus ? Plus ils sont proches, plus c'est tendu et parfois difficile à vivre : il y a moins de limites, moins de respect des règles sociales, l'autre compte plus et sait mieux appuyer là où cela fait mal.

« Comment en sommes-nous arrivés là ? », nous demandons-nous parfois vis-à-vis de notre conjoint, nos enfants, nos parents, après une dispute.

Ne laissons plus les émotions gâcher notre vie ! N'hésitons pas à suivre ce courant qui accorde une importance de plus en plus grande à la compréhension et la gestion des émotions (formateurs, éducateurs, presse, radio, télévision, etc.).

Comprendre nos réactions pour mieux les piloter

« Puisqu'on ne vit qu'une seule fois, autant établir de bonnes relations avec soi-même. »

Roland Topor

Comment garder notre calme quand la situation devient critique ou quand, pour la énième fois, nous nous trouvons face à des réactions qui nous sont insupportables ? Pour répondre à cette question, nous nous appuyons sur les travaux de Catherine Aimelet-Périssol et vous recommandons la lecture de son ouvrage *Comment apprivoiser son crocodile*[1].

Premier élément à prendre en compte : nos réactions automatiques ne sont pas aussi absurdes qu'elles en ont l'air. Elles sont régies par le cerveau reptilien[2] et répondent à une logique de survie et d'urgence intérieure. Pour rester

1. *Comment apprivoiser son crocodile*, Robert Laffont, 2002.
2. Partie du cerveau correspondant au bulbe rachidien et à la moëlle épinière. Elle contrôle les fonctions vitales.

dans la formulation de Catherine Aimelet-Périssol, nous le surnommerons le « crocodile ».

> **Le crocodile a un rôle essentiel : c'est lui qui gère nos réflexes de protection par rapport aux dangers. Dès qu'il perçoit un danger, réel ou supposé, le crocodile déclenche une réaction de défense.**

Les paupières qui se ferment, les bras qui protègent la tête, le dos qui se contracte, le nœud à l'estomac, les mâchoires et les poings qui se serrent, c'est lui qui nous les envoie. La réaction est rapide et automatique : le crocodile reçoit le signal, le décode ; s'il lit « danger », il réagit instinctivement.

Problème : le crocodile ne fait pas le tri. La réaction qu'il a identifiée comme la plus adaptée peut ne pas l'être du tout ! Elle peut être liée à des automatismes acquis dans le passé et complètement déconnectés du contexte. Le crocodile est bien intentionné, certes, mais souvent maladroit ou excessif dans sa manière de nous protéger.

Par moments, le pilote de mon avion, ce n'est plus moi ; le pilotage automatique s'est mis en route sans que j'aie rien demandé !

Quelles sont ces réactions ? D'où viennent-elles ? Comment fonctionnent-elles ?

Les trois états de défense

Dans les années soixante, Henri Laborit[1] a mis en évidence trois grands types de réactions automatiques face au danger, qu'il a appelés « états de défense ».

Pour comprendre ce qui se passe à l'intérieur des êtres humains quand ils sont stressés, il a commencé par mener des expériences sur des souris.

1. Henri Laborit, chirurgien et scientifique français, est l'auteur de plusieurs ouvrages. Il a été rendu célèbre par le film d'Alain Resnais, *Mon oncle d'Amérique*.

L'expérience des souris d'Henri Laborit

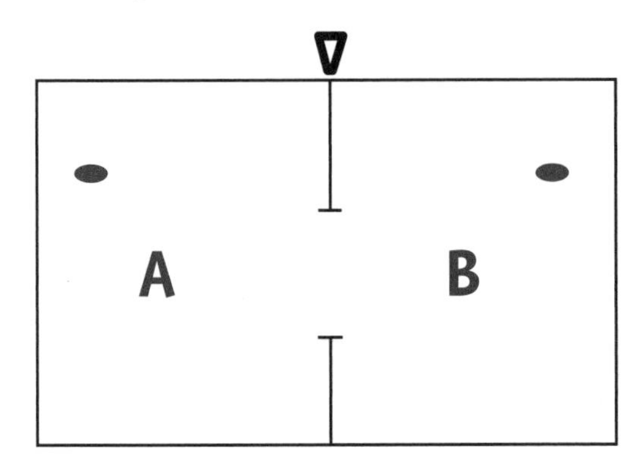

Au début de l'expérience, toutes les souris sont placées dans la moitié A.

- **Dans un premier temps**, une lampe s'allume, et, quelques secondes plus tard, un courant électrique passe sous les pattes des souris. Elles s'enfuient dans la deuxième partie de la cage (B), non électrifiée. L'expérience est répétée plusieurs fois de suite, les souris intègrent que la mise en route de la lampe signale l'arrivée, quelques secondes plus tard, du courant électrique et passent rapidement dans la partie B.
- **Dans un deuxième temps**, même événement : la lampe s'allume, du courant est envoyé sur le sol… Mais la porte, cette fois, est fermée et les rongeurs ne peuvent plus s'échapper. C'est la panique : certaines souris courent dans tous les sens, d'autres attaquent les barreaux de la cage, d'autres enfin sont complètement tétanisées et s'immobilisent. Heureusement, le courant s'arrête vite.
- **Dans un troisième temps**, la lampe s'allume, la porte entre les deux moitiés est toujours fermée, mais le courant électrique ne passe plus sur le sol. Malgré l'absence de douleur, dès que la lampe s'allume les souris ont les mêmes réactions que précédemment : elles s'affolent et courent dans tous les sens, attaquent les barreaux ou s'immobilisent.

En répétant ces expériences, Laborit a pu mettre en évidence plusieurs faits :

- quels que soient les groupes de souris mis dans les cages, elles réagissent toujours selon trois types de réactions et trois seulement : des réactions qu'il nommera « fuite », « lutte » et « inhibition de l'action » ;
- ces réactions ne sont pas liées à la douleur mais à l'anticipation du danger.

Revenant ensuite aux êtres humains, Henri Laborit a montré que, sous stress, nous avons, nous aussi, ces trois types de réactions. Par rapport à un événement ressenti comme un danger, nous réagissons instinctivement selon l'une des trois façons suivantes :

- **par la fuite**[1] qui se traduit par de l'agitation physique, l'envie de partir, la recherche de solutions tous azimuts, l'agitation verbale et cérébrale, etc., tout en éprouvant des sensations d'angoisse et un sentiment de peur ou d'inquiétude ;
- **par la lutte**[2] qui se traduit par des paroles ou des gestes agressifs, une élévation du niveau de la voix, un ton cassant, une volonté de passer en force, etc., tout en éprouvant des sensations d'énervement et un sentiment de colère ;
- **par le repli**[3] qui se traduit par des phénomènes de blocage, de tétanisation physique et psychologique, une difficulté à s'exprimer, une propension à se dévaloriser, etc., tout en éprouvant une sensation de fatigue et un sentiment de tristesse.

Quels sont vos états de défense « préférés » ?

Pour mieux comprendre ces trois états de défense, nous vous proposons de repérer les réactions qui se produisent en vous face à un danger ou dans les moments de stress, puis de chercher à identifier les principales réactions

1. Cette réaction pourrait également être intitulée « mouvement ». L'imagerie traditionnelle associe à la fuite un aspect péjoratif : éviter le conflit, éluder les problèmes, manquer de courage... Ce n'est pas le sens qui lui est attribué ici.
2. Cette réaction pourrait également être intitulée « l'attaque ».
3. Le repli correspond à ce que Laborit appelait « inhibition de l'action ». Nous pourrions aussi le nommer « l'arrêt ». En effet, et contrairement à ce que disait Laborit, cette réaction de défense peut être aussi efficace que les deux autres : dans la nature, un animal qui fait le mort a autant de chance d'échapper à son prédateur qu'un animal qui court ou se bat.

de défense de trois ou quatre personnes parmi vos proches. Vous pouvez par exemple relire les notes que vous avez prises dans le tableau page 27 :

- si les situations dans la colonne « ça m'inquiète, ça m'angoisse » sont les plus nombreuses, cela signifie que votre réaction la plus fréquente sous stress est de type « fuite/mouvement » ;
- si vous avez trouvé plus de situations dans le cadre « ça m'agace, ça m'énerve », cela signifie que votre réaction la plus fréquente sous stress est de type « lutte/attaque » ;
- si les situations dans le cadre « ça me fatigue, ça me pèse » sont les plus représentatives de vos réactions, cela signifie que votre réaction la plus fréquente sous stress est de type « repli/arrêt ».

Nous ne réagissons pas toujours de la même façon ! En nous cohabitent les trois états de défense, et chaque personne fonctionne selon une combinaison particulière de ces trois états. La fréquence d'apparition de chaque état varie selon la personnalité et l'histoire de chacun.

Le premier état est celui qui s'impose à nous le plus fréquemment, en particulier dans les situations où le niveau de stress est important. Le deuxième est également fréquent car il se met en route à chaque fois que le premier n'est pas assez efficace aux yeux du crocodile. Le troisième est souvent moins présent, car les deux premiers ont, en général, suffi à nous sortir de la situation. Cette combinaison teinte tout notre fonctionnement et nos relations.

Vive la diversité

Contrairement à la fuite et au repli, la lutte est plutôt valorisée dans la culture masculine traditionnelle : « Bravo, tu t'es bien battu ! »

Et pourtant aucune des trois tendances n'est meilleure qu'une autre. Elles ont toutes leurs avantages et leurs inconvénients.

Si nous réagissions tous par la lutte, il n'y aurait plus d'équipe possible : la vie serait un combat sans fin.

Si les réactions de fuite étaient majoritaires, il régnerait une agitation permanente, beaucoup de dispersion et peu d'efficacité.

Si nous avions uniquement des réactions de repli, nos activités avanceraient à vitesse d'escargot, l'ambiance serait tranquille, trop tranquille...

La spirale de l'incompréhension

__Julien__ est un architecte très doué pour se projeter dans l'avenir et cela l'aide à imaginer les bâtiments qu'il conçoit. Il est sympathique et serviable. En ce moment, cependant, il n'est pas heureux car le cabinet qui l'emploie s'est positionné sur le créneau des centres commerciaux. Cela ne correspond pas à son idéal. Petit à petit, Julien ressent une grande lassitude. Il a du mal à se lever le matin. Sa femme __Marina__, lui reproche d'être devenu triste. Il finit par lui avouer que son travail ne lui convient plus. « C'est simple, tu n'as qu'à en parler à ton patron. Ou chercher un autre cabinet et démissionner », rebondit Marina. « Hum... », grommelle Julien.

Quinze jours plus tard, Julien est de plus en plus fatigué. Marina lui demande ce qu'il a fait pour changer sa situation. « Tu sais, ce n'est pas si simple », répond Julien d'un air las. Et cela dure des mois. Marina est de plus en plus agressive avec son mari. Elle est excédée par cette inertie et cette fatigue chronique et se sent coupable de ne pas pouvoir l'aider... Julien s'enferme dans son mutisme : à quoi sert de discuter avec elle puisqu'elle ne comprend rien et propose toujours la même solution !

Leurs modes de fonctionnement sont très différents : **Marina**, quand elle est anxieuse, cherche des solutions, trouve toujours un projet à se mettre sous la dent, et se remet vite en selle. Cette méthode ne fonctionne pas pour Julien. Il lui manque aujourd'hui de retrouver un sens à son travail.

Marina, si elle souhaite calmer le crocodile de son mari, doit d'abord calmer le sien, c'est-à-dire trouver des points de repère, regarder les éléments qui peuvent lui faire retrouver un sentiment de sécurité. Elle pourra ensuite agir sur **Julien**, parler avec lui de ce qu'il considère comme important et essayer d'identifier ce qui peut l'aider à sortir de sa situation : son entreprise actuelle sera une référence précieuse pour intégrer un autre cabinet, plus proche de ce qu'il souhaite faire...

Elle a du mal à procéder de la sorte : son réflexe instinctif consiste à monter au créneau et à secouer le cocotier ; c'est très souvent utile mais pas avec Julien, surtout quand il est dans cet état d'esprit ! Cela aurait plutôt tendance à le bloquer, et, bien entendu, elle en a conscience.

Les deux crocodiles ne parlent pas la même langue, ils sont comme étrangers l'un à l'autre. Alors que leurs propriétaires s'aiment et vivent ensemble depuis des années, ils ne cessent de s'agacer mutuellement, et font le contraire de ce qui serait efficace pour que leur relation redevienne harmonieuse...

Le problème ne réside pas dans l'état de défense lui-même, ni dans les réactions qu'il suscite, mais dans l'inadaptation de la réaction par rapport à la situation présente.

La réaction peut être inadaptée dans sa nature ou dans son intensité :

- **dans sa nature** : nous nous battons alors qu'il aurait mieux valu chercher une solution ; nous essayons de trouver une solution alors qu'il vaudrait mieux réfléchir et prendre du recul ; ou bien nous réfléchissons alors qu'il vaudrait mieux agir ;
- **dans son intensité** : nous partons à fond dans l'argumentation alors qu'il vaudrait mieux proposer calmement une ou deux solutions ; nous nous refermons sur nous-mêmes alors qu'un peu d'écoute et de mise en perspective suffiraient ; nous cherchons à tout prix à imposer nos idées alors qu'il serait plus efficace de permettre aux autres d'exprimer leurs points de vue avant de trancher.

Nos réactions émotionnelles déclenchent chez nos interlocuteurs d'autres réactions émotionnelles qui renforcent à leur tour nos propres réactions émotionnelles... C'est une spirale infernale.

Les relations se dégradent d'autant plus que les deux interlocuteurs, très rapidement, ne parviennent plus à se comprendre : chacun se demande comment l'autre peut agir ou s'exprimer de manière aussi aberrante. « Il est devenu fou ? »

Nos trois besoins vitaux

Bonne nouvelle : derrière chaque réaction de défense, en nous ou chez nos interlocuteurs, se trouve une vraie logique.

Chaque état de défense est l'expression d'un besoin non satisfait[1]; c'est parce que ces besoins sont vitaux et fondamentaux que notre cerveau reptilien s'exprime avec ce niveau d'urgence et d'exigence.

> Comprendre ces besoins et apprendre à les satisfaire autrement que par des réactions non contrôlées nous permettra, petit à petit, d'apprivoiser notre crocodile et ceux de nos interlocuteurs.

- **Un besoin de sécurité ou de liberté inassouvi provoque des réactions de fuite.** Le leitmotiv d'une personne réagissant par des réactions de fuite/mouvement pourrait être : « Ni sans vous, ni avec vous. » Elle se sent menacée dès qu'elle a l'impression d'être enfermée dans un rôle ou une situation, et lorsqu'elle a peur de manquer (d'affection, de nourriture, de choix, d'espace...). Ces deux besoins sont antinomiques : besoin de la présence des autres pour se sentir en sécurité, mais pas trop pour ne pas avoir l'impression d'être enfermé. Sous pression, une personne en fuite aura tendance à s'éparpiller, parler beaucoup, être confuse et brouillonne. Son agitation et son anxiété se transmettent à son entourage.

Marina a beaucoup de réactions de fuite. C'est son inquiétude qui déclenche ce flot de paroles, d'idées, de solutions...

- **Le manque de reconnaissance, la difficulté à se reconnaître soi-même ou à se sentir reconnu par les autres provoquent des réactions de lutte :** « Qu'est-ce que je vaux ? », se demande souvent une personne ayant des réactions de lutte. Elle se sent mal lorsqu'elle pense qu'on ne reconnaît pas ses efforts. Si elle a besoin d'être reconnue par un tiers, c'est parce qu'elle doute de sa valeur. Contrariée, une personne en lutte aura

1. Cette cohérence entre besoins et états de défense a été mise en évidence par Catherine Aimelet Périssol (cf. p. 29).

tendance à être cassante, autoritaire. Elle n'hésitera pas à passer en force, et tant pis pour ceux qui se trouvent sur son passage !

C'est ce qui est arrivé à Michel lorsqu'il a pris sa retraite.

- **Le manque de sens et de cohérence provoque des réactions de repli.** « Quel sens tout cela a-t-il ? À quoi bon ? », se demande une personne réagissant de cette façon. Elle a besoin de se réaliser et de savoir que ce qu'elle accomplit est utile. Elle se sent menacée lorsque la cohérence de ce qu'elle fait ne lui apparaît pas ou lorsqu'elle n'est pas en position de se rendre utile. Dans ces moments-là, la personne en repli se sentira abattue, fatiguée, découragée.

C'est à ce type de réactions qu'est confronté Julien.

Nous avons les qualités de nos défauts

« Le feu qui te brûle, c'est celui auquel tu te chauffes. »

Proverbe africain

Le fait de subir régulièrement les réactions de notre crocodile n'a pas que des inconvénients. Petit à petit, nous avons en effet appris à le connaître et à vivre avec lui. Dans certaines situations, nous savons lui donner en partie satisfaction et limiter ses débordements. Ces réactions instinctives, nous les avons répétées fréquemment et elles sont devenues des forces :

- **La fuite est avant tout synonyme de mouvement.** Une personne réagissant par des réactions de fuite fera tout pour se sentir libre. Elle cherchera en permanence des solutions lui permettant de s'échapper du « piège » – situation créée par elle-même ou par d'autres : une réunion, un dîner, une contrainte... et même un moment agréable ! Elle développera progressivement une grande capacité à se remettre en cause, à bouger et à trouver des solutions. Elle sera, en général, créative et active ; personne ne lui reprochera d'avoir les deux pieds dans le même sabot !

- **Une personne réagissant par des réactions de lutte s'efforcera d'obtenir rapidement des résultats concrets aux problèmes qu'elle rencontre.** C'est sa façon à elle de prouver à elle-même et aux autres qu'elle a de la valeur. Elle va acquérir une grande compétence dans le fait de décider, bousculer les choses et les gens, faire avancer les dossiers. Sous stress, elle n'hésitera pas à trancher dans le vif si cela permet d'avancer et de régler les problèmes. Elle y trouvera même de la satisfaction.
- **Une personne réagissant par des réactions de repli fera tout pour éviter d'affronter les personnes qui pourraient la contrarier ou être désagréables.** Elle va développer des capacités d'adaptation et de prise de recul, elle va chercher à « arranger les choses » dans son entourage. Elle cherchera à comprendre ce qui lui arrive et ce qui peut se produire dans les années à venir. Elle va ainsi développer des capacités pour conseiller, anticiper, réduire les tensions et les conflits.

Les qualités générées par nos états de défense sont indissociables de leurs inconvénients. Ce sont les deux faces d'une même médaille.

Trois anges enchaînés à trois démons

Quand un aspect négatif est présent chez quelqu'un (anxiété, agressivité ou passivité), l'élément positif correspondant (créativité, capacité à décider ou à prendre du recul) est inévitablement présent. Réciproquement, si quelqu'un nous montre telle ou telle de ses qualités, immanquablement nous trouverons chez lui la faiblesse correspondante.

Cette forte cohérence entre nos points forts et nos points faibles est très utile : dès que vous prenez conscience d'un aspect positif ou négatif chez quelqu'un, il vous est possible d'anticiper son autre face et d'adapter votre comportement en conséquence.

> Aussi doués soyons-nous, aussi épanouis personnellement et professionnellement, nous aurons toujours les défauts de nos qualités et, heureusement, les qualités de nos défauts !

Synthèse : les états de défense

	FUITE ***Bouger***	**LUTTE** ***Affronter***	**REPLI SUR SOI** ***S'adapter***
Les souris	Courent dans tous les sens	Attaquent les barreaux ou les autres	S'arrêtent, s'immobilisent
Les humains face à un obstacle ou un danger	S'agitent, cherchent dans toutes les directions	S'énervent, tapent sur le mur, essaient de l'abattre	S'arrêtent, réfléchissent, n'arrivent plus à agir dans la bonne direction
Besoins	Sécurité et liberté	Identité et reconnaissance	Sens et utilité
Moyen instinctif de calmer son crocodile	Bouger, avoir des options	S'affirmer, avoir des résultats	Réfléchir, chercher le calme
Aptitudes spécifiques	Imaginer des solutions, rebondir	Trancher, décider, obtenir des résultats	Prendre du recul, comprendre

Arrêtons de nous culpabiliser

La frustration que nous éprouvons provient de notre difficulté à maîtriser nos réactions instinctives : « Ça y est, ça recommence ! Ras-le-bol de toujours faire les mêmes erreurs ! »

À cette entreprise d'auto-sabordage s'ajoute la fréquence avec laquelle notre entourage passe son temps à critiquer nos défauts. Ce n'est pas une, mais trois déconvenues que nous subissons à chaque fois : l'agacement de ne pas parvenir à nous améliorer, le jugement négatif que nous exprimons envers nous et, pour couronner le tout, les reproches de notre entourage ! Il y a de quoi réagir au quart de tour quand nos réactions principales sont des réactions de lutte ou de fuite, et de quoi se renfermer quand ce sont des réactions de repli.

De la même façon, nous avons souvent du mal à ne pas dire « Arrête de faire ça, d'être comme ça » (sous-entendu « Arrête d'être comme tu es ») quand notre interlocuteur vient pour la énième fois de tomber dans l'un de ses pièges « préférés ». Et quand nous nous heurtons à un obstacle, il est souvent tentant de s'en prendre à quelqu'un, à la personne en face de nous : « C'est à cause de toi que je n'ai pas obtenu ce que je voulais », ou à nous-mêmes : « C'est de ma faute, je suis nul(le) ! »

Le problème, ce n'est ni l'autre, ni nous ; ce sont les réactions qui se produisent en nous et que nous ne parvenons pas à piloter. Oui, il nous arrive de déraper. Oui, c'est pénible et cela a des conséquences. Oui, cela se répète et se re-répète. Et il n'y a pas de quoi culpabiliser !

> Nous ne sommes pas responsables de nos états de défense,
> nous ne sommes pas non plus limités à nos états de défense.

Ce point est particulièrement important. En effet, nos réactions de défense sont des réactions instinctives qui répondent à un événement perçu comme menaçant. Il n'y a aucun mal à les ressentir. Ce sont des réactions de survie. L'objectif, en revanche, consiste à ne plus passer automatiquement de la réaction instinctive dictée par notre crocodile à sa mise en œuvre. Bref, il est sain de ressentir ces signaux sans pour autant les extérioriser à tous les coups, dans leur forme ou leur intensité originale.

Culpabiliser nous fait souffrir et n'apporte aucune efficacité. L'attitude la plus saine consiste au contraire à « remercier » notre crocodile de la vigilance dont il fait preuve à notre égard et de lui montrer que nous prenons en considération son message d'alerte.

Le crocodile de Philippe lui signale avec violence qu'il ne se sent pas respecté par la façon dont s'exprime sa petite-fille Coralie ; la solution qu'il lui suggère consiste à rugir le plus fort possible, pour montrer qui commande.

Le crocodile de François lui signale que son patron a une attitude dominante ; face à un animal plus puissant, la prudence recommande de faire allégeance et de montrer sa soumission.

Le crocodile de Marina lui indique qu'il a identifié un danger : elle a l'impression que ses beaux-parents vont la trouver inintéressante, or l'image qu'ils ont d'elle est importante à ses yeux. Il lui suggère de trouver au plus vite un moyen de s'en sortir. Peu importe lequel... Elle se met à parler à tous crins.

L'attitude efficace : satisfaire autrement le besoin exprimé.

Avant de passer à la suite

Les principes présentés dans les pages que vous venez de lire ont pour objectif de vous donner des mots pour comprendre et exprimer ce que vous ressentez de façon intuitive.

Cette compréhension de nous-même et des autres est une première source de bien-être. Il y a moins de flou... De nombreux malentendus, des disputes récurrentes et beaucoup d'insatisfactions peuvent être évités en prenant en compte notre mode de fonctionnement et celui de nos interlocuteurs.

Vous avez en main les premières clés d'accès à la logique de vos comportements. Vous pourrez grâce à elles commencer à piloter vos réactions émotionnelles.

L'objectif n'est pas d'arrêter d'être ce que nous sommes, mais de devenir davantage qui nous sommes... en mieux !

Chapitre 2

Utiliser ses émotions comme moteur

« On ne perd pas sans regret même ses pires habitudes ;
ce sont peut-être celles qu'on regrette le plus. »

Oscar WILDE

Objectif de ce chapitre

Découvrir des techniques et des savoir-faire qui vous permettront de piloter et d'apprivoiser vos réactions émotionnelles.

Vous y trouverez :

- Apprivoisons nos énergies
- Reconnaissons notre état
- Faisons preuve d'empathie avec nous-même
- Mettons-nous dans la peau de notre totem
- Bâtissons-nous des points d'ancrage

Apprivoisons nos énergies

Comment reprendre le contrôle de nos comportements et réactions ? Il n'est pas question ici de bâillonner notre crocodile : ce serait dangereux et vain. Il s'agit plutôt de faire évoluer nos habitudes et d'apprendre à piloter les mouvements internes qui nous agitent, nous bousculent, nous bloquent.

Pour apprivoiser cet animal qui, tel un parent abusif, veut nous protéger malgré nous, nous pouvons faire appel à une palette d'outils, de techniques, de savoir-faire, sans cesse élargie. Certains sont à usage et effet immédiats ; d'autres nécessitent un travail plus long. Ils auront aussi un effet plus profond et durable. Tous sont bénéfiques : ils nous donnent une plus grande liberté d'être et permettent de tirer un meilleur parti de notre potentiel.

L'attitude la plus efficace pour apprivoiser un animal consiste à s'intéresser à lui et à lui en donner des preuves tangibles. Cela demande également beaucoup de patience et de persévérance, ainsi qu'une bonne quantité d'amour. Notre crocodile ne fait pas exception à la règle.

La modification de nos habitudes comportementales n'est ni plus simple ni plus compliquée que la modification de tout geste automatisé. Que vous soyez joueur de piano, tennis, pétanque, baby-foot, vous savez à quel point changer d'automatismes est difficile. Souvenez-vous des premières fois où vous vous êtes rasé ou maquillée ; souvenez-vous de vos premières leçons de conduite : à chaque fois, cette impression d'une montagne à franchir. Arriverons-nous à faire tous ces gestes à la fois (débrayer, changer de vitesse, mettre le clignotant, regarder dans le rétroviseur intérieur et le rétroviseur extérieur ? Cela nous semblait impossible de nous souvenir de tout et de tout mettre en œuvre simultanément ! Maintenant nous n'y pensons même plus. Il en est exactement de même pour les habitudes comportementales dictées par notre crocodile.

Nos habitudes ont été automatisées. Elles peuvent être reprogrammées. Cela demande du temps et de la persévérance, mais c'est possible !

Le cheval sauvage

2. Utiliser ses émotions comme moteur

Vous trouverez dans les pages qui suivent quelques-uns des outils et savoir-faire, dont l'efficacité a été régulièrement démontrée.

Reconnaissons notre état

Quand le crocodile prend le contrôle, nous avons la sensation d'être notre colère, notre fatigue ou notre angoisse, et de ne plus être que cela. Nous sommes « associés » à notre émotion.

> Première chose à faire pour piloter nos réactions internes : nous « dissocier » de notre réaction instinctive.

Pour y parvenir, prenons conscience de ce qui nous arrive, de ce qui se passe en nous, de notre réaction physique (tension musculaire, nœud dans l'estomac, sensation de fatigue, d'abattement). Dès cette prise de conscience, notre crocodile se sent entendu et commence à relâcher sa pression. Sa mission consiste à tirer la sonnette d'alarme et à nous faire réagir. En écoutant ce qui se passe à l'intérieur de nous, nous lui envoyons une première réponse positive : « J'ai bien reçu ton message ! »

Deuxième impact positif : ces quelques fractions de seconde d'écoute de la réaction physique donnent au cerveau cortical le temps d'élaborer une réponse plus appropriée. Selon le même principe que ces réponses toutes faites utilisées par certains hommes politiques quand ils se sentent coincés : « Je vous remercie de m'avoir posé cette question... » Ils gagnent ainsi quelques secondes pour réfléchir à leur réponse.

Après réception du signal crocodilien, la réponse adéquate consiste à mettre des mots sur ce qui se passe en nous et essayer d'en identifier l'origine, le facteur déclenchant :

- « Je bouillonne, je suis furax, je commence à m'énerver... Quelque chose ne me plaît pas, mais quoi ? »
- « Je m'agite, mon débit s'accélère, j'ai mal au ventre... Quelque chose m'inquiète, qu'est-ce que c'est ? »

- « Je me sens fatigué, déprimé, tout me pèse, je n'arrive plus à avancer ni à faire ce que j'ai à faire... Quelque chose me bloque, je voudrais bien comprendre quoi. »

Une question très utile, quel que soit le type de réactions : « Qu'est-ce qui me manque, me gêne, me freine ? »

Cette dissociation a pour effet de faire baisser la température émotionnelle. Le crocodile est comme un enfant qui a chuté, ses pleurs ont pour objectif de susciter l'attention de l'adulte : « Occupe-toi de moi ! » Dans la plupart des cas, il suffit qu'on le prenne dans ses bras et l'embrasse là où il a mal pour que l'enfant retrouve son calme. Il se sent compris, rassuré.

> Reconnaître la douleur, c'est faire un premier pas vers son apaisement.

Notre crocodile a besoin d'être écouté. En prêtant attention à ce qui se passe en nous, nous permettons à la vapeur de s'échapper de la cocotte-minute. Les signaux qu'il envoie visent à nous faire réagir rapidement face à un danger : si nous ne répondons pas, la sonnerie va continuer à nous vriller les oreilles ou à nous prendre aux tripes.

La température émotionnelle

La température émotionnelle, c'est l'intensité des émotions en jeu au cours d'un entretien.

La température émotionnelle est élevée si la tension est forte entre les personnes concernées ou chez l'une d'entre elles.

Elle est normale si les personnes sont dans le registre de la conversation habituelle, si la voix est posée, si le ton utilisé par chacun n'est ni effacé, ni cassant, ni expéditif.

Quand la température est élevée, nos capacités intellectuelles se réduisent, comme si nous avions des œillères qui nous empêchaient de disposer de toutes les informations dont nous avons besoin. L'objectif consiste bien entendu à faire baisser cette température pour retrouver toutes nos capacités.

2. Utiliser ses émotions comme moteur

Observons maintenant de façon plus détaillée ce qui se passe quand nous sommes confrontés à des impulsions de fuite, lutte ou repli. Comment canaliser au mieux ces réactions émotionnelles ?

Comment caresser notre crocodile dans le sens des écailles pour qu'il nous laisse reprendre la main ?

Puis comment le nourrir pour qu'il cesse d'intervenir de façon exagérée ou inefficace ?

Faisons preuve d'empathie avec nous-même

Si nous sommes en colère...

Le crocodile en colère est comme une blessure à vif que le moindre effleurement fait bondir ; il est comme un tas de brindilles que la plus légère étincelle peut embraser.

__Chantal__, 50 ans, l'aînée d'une famille de six enfants, se casse la tête depuis trois mois pour réunir tout le monde chez elle à l'occasion de Noël. Trouver une date qui convienne à ses cinq frères et sœurs, à leurs conjoints et aux vingt neveux et nièces, décider du menu, répartir qui apporte quoi, choisir un cadeau commun pour leur mère. Enfin, la semaine de la fête est arrivée... Les coups de téléphones décevants se succèdent : « Je n'aurai pas le temps de préparer la tarte que je t'ai promise... » « Ma dernière a une grosse grippe, je pense que Jérôme et les enfants viendront mais elle et moi, nous resterons à la maison... » « Je suis fauché, tu me prêtes l'argent du cadeau de Maman ? »

Chantal s'est pliée en quatre pour tout organiser et elle a l'impression que les autres se désintéressent de cette fête, qu'ils réclament pourtant d'année en année. Elle a l'impression de tout faire, sans beaucoup d'aide.

Sa colère monte tout au long de la semaine ; elle en fait baver à Jérémie, son mari. Heureusement il est patient. Elle est tentée de tout annuler : qu'ils se débrouillent, après tout ! Elle a envie de tous les envoyer balader. C'est plus fort qu'elle, et, en même temps, elle sait que cet accès de mauvaise humeur, s'il éclate, va rendre inutile son dévouement. Quel gâchis si elle explosait, comme elle en a pourtant tellement envie !

Comment aider Chantal à trouver la réaction adéquate, tout en apaisant son crocodile ?

Quand nous sommes énervés, notre besoin principal est la reconnaissance. La nôtre propre et, si possible, celle de notre entourage. Pour calmer ce besoin, plusieurs moyens sont à notre disposition :

- **la première étape consiste, comme nous l'avons vu précédemment, à prendre conscience de nos sensations physiques.** Être conscient de cette tension physique, des crispations dans les épaules, dans le dos. Prendre acte de ces réactions physiques, c'est donner à nos émotions un début de légitimité et de reconnaissance ;
- **la deuxième étape consiste à reconnaître et à accepter le message :** « Si je m'énerve c'est que mon crocodile a perçu un danger ; il y a une part juste dans ce que j'éprouve. Ma réaction a une raison d'être, et je l'accepte. En revanche, ma colère n'est pas la réaction la mieux adaptée à la situation. C'est grâce à mes capacités d'affirmation que j'obtiens les résultats pour lesquels tout le monde me félicite, et non grâce à la colère... » ;
- **l'étape suivante consiste à obtenir des résultats concrets.** Le plus pénible, quand on lutte beaucoup, est de ne pas obtenir ce que l'on avait prévu. Nous craignons que les obstacles qui s'accumulent nous empêchent d'atteindre nos objectifs. La frustration est grande, il faut lui trouver un dérivatif. Un moyen pour faire baisser cette pression consiste à passer à l'action et travailler consciemment à obtenir des résultats visibles dans ce domaine... ou un autre ;
- **autre moyen utile : exprimer à haute voix ce que nous ressentons.** Le crocodile, en déclenchant de la colère, nous signale que nous ne nous sentons pas reconnus ou que nous ne nous reconnaissons pas nous-même. En exprimant à notre interlocuteur que ce qu'il dit ou fait ne nous convient pas, ou en nous le disant « Il exagère celui-là ! », nous montrons

à notre crocodile que nous commençons à agir dans la bonne direction. Le crocodile va retrouver une partie de son calme ; nos capacités intellectuelles vont se rouvrir.

Revenons à **Chantal**. Elle peut donc :

- prendre conscience de son agacement et des réactions physiques qui y sont associées ;
- reconnaître la part juste dans cet agacement : c'est vrai qu'elle ne reçoit pas beaucoup de signes de reconnaissance par rapport à tous les efforts fournis ;
- trouver une façon acceptable d'exprimer et de purger cet agacement : râler un bon coup auprès de son mari, par exemple ;
- se concentrer sur des objectifs concrets et accessibles : aller chez le coiffeur, comme elle l'avait prévu de toute façon, ou terminer le glaçage du gâteau au chocolat ;
- mettre en place des moyens, des appuis pour que la situation se reproduise moins fréquemment ; comme demander à une autre sœur ou à un frère de recevoir la famille l'année prochaine ;
- pratiquer des activités personnelles ou professionnelles qui lui apportent un sentiment de reconnaissance : qu'elle soit en mesure d'apprécier la qualité et l'efficacité de ce qu'elle fait ;
- se renseigner sur les actions concrètes qu'elle pourrait mettre en œuvre pour travailler sur elle-même, grâce à des formations ou des entretiens de développement personnel. Ce qui lui permettra de renforcer son estime pour elle-même.

Avoir un os à ronger

Si vos réactions les plus fréquentes sont des réactions de lutte, veillez, quand vous êtes en forme, à toujours avoir un ou deux projets qui vous permettent d'obtenir des résultats concrets. Quand vous serez énervé, ces projets et les résultats obtenus vous aideront à retrouver l'estime de vous-même.

Quand vous sentez que la moutarde vous monte au nez, concentrez-vous sur quelques actions simples à mettre en œuvre rapidement (papiers à envoyer, rangement, bricolage ou repassage à « abattre », etc.). Obtenir des résultats dans ces domaines tout simples permettra de calmer votre crocodile. Il restera néanmoins sur le qui-vive, tant que la cause profonde ne sera pas traitée.

Si nous sommes anxieux…

Il est presque impossible de s'ennuyer avec **Patrick**. *Il s'intéresse à tous et à tout. Il a toujours un sujet de conversation, une anecdote spirituelle, et sait mettre en valeur ses interlocuteurs. Il est toujours partant pour un jogging, un tour à vélo, une soirée ciné… Serviable, plein de ressources, Patrick est le convive idéal. Pourtant, dans une soirée, il est parmi les premiers à partir : il a toujours une bonne raison, quelqu'un qui l'attend quelque part.*

Il aime être entouré, mais n'est pas souvent prêt à faire des compromis. Il veut amener les autres dans ses solutions et n'arrive pas à se plier aux leurs. Il peut être perfectionniste et parfois cassant si quelqu'un risque de remettre en cause la réussite d'un projet sur lequel il s'est investi. Quand ses proches se plaignent qu'il n'est pas toujours facile à vivre, il rétorque : « Cela fait partie de mon charme… » Il a parfois du mal à tenir sa langue et peut raconter des choses qu'il aurait mieux valu garder pour lui.

Dans son travail, il est très exigeant. Ses responsables l'apprécient car il montre un sens élevé des responsabilités. Quand on lui confie une mission et qu'il y adhère, on est sûr qu'il la remplira. C'est quelqu'un de fiable. En revanche, si le stress monte, il est parfois tatillon ; les choses doivent être faites comme il les a demandées, sinon il peut devenir nerveux et désagréable.

Le crocodile anxieux a besoin d'être rassuré sur ses capacités à affronter les situations. Pour calmer cette angoisse, il a plusieurs moyens à sa disposition :

- **première étape : comme pour la lutte, il est utile de s'arrêter pour prendre conscience des sensations physiques.** Elles sont révélatrices : nœud à l'estomac, fébrilité... Et l'envie de faire tout autre chose que ce qui serait utile pour traiter le problème : faire une recherche sur Internet, lire le journal ou ses mails, ouvrir son courrier, lancer un jeu sur l'ordinateur, discuter avec un collègue, téléphoner à un ami, arroser les plantes, bref, toutes ces actions « très urgentes » auxquelles nous ne pensions pas il y a cinq minutes. Ces sensations physiques sont un signal de danger ! Au lieu de faire ce que le crocodile nous dicte, écoutons-le et prenons-le en compte : « Merci crocodile, j'ai compris, je suis inquiet ! Il y a quelque chose qui ne correspond pas à mes besoins de sécurité, qui ne colle pas à la façon dont j'aime que les choses soient organisées, je vais y remédier » ;
- **deuxième étape : identifions la cause de cette inquiétude.** Qu'est-ce qui nous manque, nous freine, nous gêne ? Lorsque nous aurons répondu à ces questions, notre crocodile commencera à se sentir mieux. Le signal a été utile, nous commençons à traiter le problème : concrètement, pour Patrick, avant de partir en vacances, il s'agit de refaire ses comptes et de vérifier ses comptes épargne. Il lui suffit de laisser son intuition identifier tous les points et les risques sur lesquels être vigilant. Et il a acquis beaucoup d'entraînement dans ce domaine ;
- **troisième étape : bouger, avancer.** Pour les personnes qui ont beaucoup de réactions de fuite/mouvement, c'est indispensable. A contrario, l'impression d'être immobilisé et de ne plus avoir d'options est insupportable. Trouver un projet, quel qu'il soit, peut contribuer à réduire, pour un temps, le stress du crocodile et débloquer la situation ;
- **quatrième étape : se rassurer.** Pour y parvenir, plusieurs moyens :
  - **se remémorer ses compétences et ses expériences positives** sur le sujet concerné : « Mes derniers changements de poste et d'activité se sont très bien passés » ; « J'ai fait un point sérieux sur le sujet (ma retraite) il y a un an » ; « La dernière réunion que j'ai animée a cartonné... » « Je n'ai

jamais été à découvert, j'ai toujours bien géré mon argent, il n'y a pas de raison que j'aie un problème maintenant. » Prenons conscience de tout le chemin déjà parcouru, de tout ce que nous avons appris et acquis au cours des années passées ;

- **fractionner l'objectif qui semble inaccessible en sous objectifs atteignables.** Identifier des étapes intermédiaires en nous laissant une certaine marge de manœuvre. Le crocodile anxieux a besoin de jalons qui le rassurent sur sa capacité à atteindre ses objectifs mais il peut être démotivé si ces jalons lui semblent devenir des contraintes ;
- **identifier et consolider des points de repères familiers** – la famille, les amis, un lieu de prédilection, des rites, des échéances réelles mais pas trop contraignantes... – et prendre conscience que le contact physique est rassurant pour le crocodile en fuite : un réfrigérateur bien rempli, une main affectueuse sur l'épaule, le contact avec un animal... ;
- **faire confiance et exercer sciemment notre talent naturel : la recherche de solutions.** La question qui permettra de débloquer beaucoup de moments de doutes : « Concrètement, quel est le problème ? » Dès que le problème a été posé noir sur blanc, les idées jaillissent : il n'y a que l'embarras du choix !

Le crocodile en fuite est un paradoxe ambulant. Il se comporte à la fois comme un léopard qui rêve de liberté dans la savane et comme un jeune chat cherchant la protection d'un environnement confortable et bienveillant.

Faites des provisions pour l'hiver !

Si vos réactions sont souvent de type « fuite », nous vous recommandons, quand vous allez bien, de créer vos repères et de vous ménager des espaces de liberté : par exemple, ne pas aller directement au bureau mais passer acheter le journal, prendre un café, faire un détour par un paysage qui vous inspire ; ne pas rentrer directement chez vous, mais vous arrêter dans votre librairie préférée ; pratiquer régulièrement une activité physique, artistique ou intellectuelle qui vous plaise. Toutes ces activités seront autant de points d'appui vers lesquels revenir pendant les moments de peur ou d'anxiété.

Sauf situation grave, les crises d'angoisse du crocodile en fuite ne durent pas longtemps : elles peuvent revenir fréquemment mais sont vite chassées par de nouveaux projets. Le seul risque : ne pas avoir la liberté de se mettre en mouvement, ne pas avoir la possibilité de lancer de nouveaux projets.

Recommandation : avoir toujours un projet d'ordre personnel en cours de réalisation, qui vous permette, en cas de stress, de vous changer les idées et d'avancer sur des éléments concrets.

Si nous sommes en repli...

__Jacques__, marié et père de trois enfants, est chef de projet dans une entreprise fabriquant des systèmes électroniques. Il a réussi à mener à bien des projets dans des délais et des contraintes de coûts qui semblaient irréalisables. Pourtant, au bureau comme à la maison, il répugne à se mettre en avant. Ses responsables hiérarchiques aimeraient qu'il ait parfois une attitude plus affirmée.

Sur le plan personnel, il souhaite construire une maison sur le terrain que sa femme et lui viennent d'acquérir et a toutes les compétences pour la concevoir. Mais sa femme a du mal à lui faire confiance, le presse, ne lui donne ni le temps ni la tranquillité dont il a besoin pour mener à bien son projet.

Cela lui pèse que l'on remette sans arrêt en cause ses propositions. Il a du mal à se défendre et pourtant l'expérience lui a toujours donné raison !

Le crocodile en repli se bloque. Si son activité ne correspond pas à ses valeurs, s'il ne comprend pas à quoi il sert, s'il n'a plus de fil conducteur, il ralentit. Si le sens lui échappe, si on le bouscule, il s'arrête. Les personnes réagissant par des réactions de repli ont besoin de cohérence. Les résultats à court terme leur sont indifférents, ou presque. Ils aiment développer une vision à moyen ou long terme, servir la société, aider les autres, construire quelque chose pour les générations futures, laisser une trace.

> **La moindre contrariété amène le crocodile en repli à rentrer dans sa coquille, à se refermer sur lui-même.**

Ce n'est pas confortable d'avoir en soi un crocodile en repli ! Nous aimerions pouvoir répondre aux arguments alignés par notre interlocuteur, exprimer clairement notre point de vue, mais les mots ne viennent pas. En revanche, sitôt l'entretien terminé, dès la porte franchie, réponses et arguments se bousculent dans notre tête. La frustration est forte, le découragement ou l'agacement vis-à-vis de nous-mêmes, fréquents.

Le crocodile en repli a besoin de cohérence, d'harmonie, de tranquillité. Voilà quelques moyens pour y parvenir :

- **comme précédemment, la première étape consiste à prendre conscience de ce que nous ressentons physiquement.** Identifier les sensations de fatigue, lourdeur, abattement. Écouter nos envies ; celle de nous refermer comme une huître, celle d'aller dormir, peut-être celle de pleurer : « Trop c'est trop, ras-le-bol ! » Accueillir ces sensations sans les juger, elles sont utiles ;
- **deuxième étape : comprendre ce qui nous arrive.** Cette fatigue n'est pas uniquement une donnée physique : elle est aussi la manifestation d'un malaise psychologique et d'un problème que nous ne parvenons pas à résoudre. « Pourquoi suis-je si fatigué ? Quelle situation, quelle phrase dite à mon égard a pu provoquer cette réaction ? » Reconnaître que la réaction d'abattement est le fruit d'une information extérieure apporte déjà un soulagement : « Je ne suis pas coupable de cette réaction physique. Elle est le fruit d'un enchaînement logique. Elle a un sens. » S'il y a une logique, le crocodile en repli se sent déjà mieux ;
- **troisième étape : s'efforcer de remettre en perspective notre réaction, aller plus loin dans cette logique, comprendre.** Plus nous redonnons un

sens à ce que nous sommes en train de vivre, plus notre crocodile se sent soulagé ;

- **quatrième étape : retrouver la direction, le projet.** « Où veux-tu aller ? Qu'est-ce qui est important pour toi ? Quelle est ta mission ? » Voilà quelques questions qui plaisent à un crocodile en repli et contribuent à le débloquer.

Pour continuer à nourrir et stimuler votre crocodile, vous pouvez également faire votre marché dans le stock d'idées suivantes :

- **vos pensées valent de l'or : écrivez !** Ayez toujours à portée de main un cahier, carnet ou une feuille de papier pour noter vos réflexions. En particulier quand vous travaillez à un projet qui vous tient à cœur. Elles vous aideront à retrouver le fil quand vous en aurez besoin ;
- **bougez.** Une simple activité physique ou manuelle peut faire cesser l'état de blocage provoqué par le stress. Bien entendu, cela ne suffit pas à sortir complètement du repli, mais c'est un premier pas ;
- **rendez-vous utile.** Rendre service, aider quelqu'un en difficulté, apporter du mieux-être autour de vous, faire un cadeau, tout cela peut vous aider à vous sentir mieux. Se sentir utile est l'une des façons les plus efficaces de nourrir le crocodile en repli ;
- **un mot d'ordre : patience !** Les blocages du crocodile en repli peuvent durer un moment. Il a besoin de temps pour digérer et comprendre ce qui lui arrive. Sa forte capacité d'adaptation le sauve ; il est capable de s'adapter même s'il n'a pas retrouvé toute la logique de ce qui se passe autour de lui ;
- **faites confiance à vos intuitions**, elles sont souvent le fruit de beaucoup de réflexions ;
- **appuyez-vous sur votre talent naturel.** Les blocages que vous pouvez ressentir n'ont pas que des inconvénients, ils permettent de garder son calme quand beaucoup d'autres sont tentés de s'agiter. Ils permettent à des personnes habituellement effacées de se révéler dans les coups durs. Comme si, dans ces moments-là, un système parallèle se mettait en route et apportait une grande lucidité ;
- **soyez vigilants à votre environnement.** Les personnes réagissant par des réactions de repli sont très sensibles à l'ambiance. Une personnalité

agressive dans l'environnement immédiat sera très coûteuse en énergie pour le crocodile en repli. Confronté à de telles personnes, n'hésitez pas à prendre de la distance même sous un prétexte fantaisiste.

Le crocodile en repli a besoin de douceur et de ménagement. Prenez-en soin, montrez-lui votre respect et votre attention, il vous apportera sa finesse et son recul.

Faites provisions de sens !

Si vos réactions les plus fréquentes sont de type « repli », nous vous recommandons, quand vous vous sentez bien, de noter ce qui vous importe, ce que vous avez envie de réaliser dans votre vie, afin de pouvoir vous y rapporter quand vous perdez le fil et que vous cherchez à retrouver une cohérence.

Pour sortir d'une période désagréable, vous n'avez pas besoin de résultats : dès que vous aurez retrouvé la vision, la logique, un fil conducteur, vous vous sentirez beaucoup mieux. Prenez en conscience, cela vous aidera à reprendre pied plus vite.

Synthèse : Mieux gérer les réactions de défense

	Fuite	Lutte	Repli sur soi
Sensations physiques	Prendre conscience des sensations physiques et les accueillir positivement (signal)		
Type d'actions	Identifier le problème, trouver des solutions	Agir, Passer à l'action	Comprendre ce qui se passe, se rendre utile
Activités physiques	Bouger, se promener	Se dépenser physiquement	Bouger, faire des choses
Ressources psychologiques	Se remémorer les étapes déjà parcourues	Se remémorer ses compétences et savoir-faire	Retrouver sa direction, relire son projet
Ressources physiologiques	Utiliser son totem et son ancrage		

Mettons-nous dans la peau de notre totem

Comment affronter efficacement et sereinement une situation stressante, un obstacle imprévu, un rendez-vous qu'on appréhende ? Les occasions ne manquent pas : période d'examen, entretien d'embauche, annonce d'une maladie grave, rendez-vous amoureux, conflit familial... Depuis l'enfance, on nous dit : « Reste calme, concentre-toi, mets-toi dans l'idée que tout va bien se passer. » Ces paroles sont justes mais ne suffisent pas à nous donner la pleine possession de nos moyens.

C'est qu'elles s'adressent à notre intellect qui n'est pas le bon interlocuteur dans ces situations de stress. Celui qui déclenche notre peur, notre agressivité ou notre abattement, c'est, vous l'avez deviné, le crocodile. Et lui, on ne peut pas le raisonner par la parole.

> Le crocodile n'est pas « raisonnable ». Pour l'apprivoiser, comme tout animal, il faut lui parler dans sa langue. Et la langue qu'il aime est celle des images, des sons, des odeurs, des métaphores.

Elle l'aide – nous aide – à se mettre dans l'état d'esprit et l'attitude physique les mieux adaptés pour affronter une situation difficile. En lui parlant avec des images, l'expérience montre qu'il est possible de distraire l'attention de notre crocodile et de remplacer une émotion inappropriée, par une émotion plus adéquate et heureuse.

Pour y parvenir, différentes techniques sont à notre disposition.

Nous appelons « totem » des animaux ou personnages qui nous plaisent et que nous pouvons nous remémorer pour faire surgir en nous l'état d'esprit utile. Comme chez les Indiens d'Amérique, ces figures sont là pour nous soutenir en cas de danger. Ces totems sont souvent des images d'animaux ; quand nous sommes sur ce registre, la part instinctive est forte, elles parlent d'autant mieux à notre crocodile.

__François__, guichetier à la Poste, utilise l'image de l'éléphant : en s'imprégnant de sa force tranquille, il a pu rester calme et déterminé face à un client agressif.

__Alice__ est amoureuse d'Enrique, qui de son côté tient beaucoup à elle. Cependant, chacune de leurs rencontres se solde par des non-dits, des mots qui blessent et une grande frustration. Elle aimerait tellement être plus légère, au lieu de toujours arriver avec ses gros sabots ! Avant de sonner à la porte de l'appartement d'Enrique, elle pense à la fée Clochette ; beaucoup de grâce, un peu d'humour sont tout ce qui lui faut pour passer un bon moment avec l'homme qu'elle aime.

Pour __Patrick__ (fuite), évoqué ci-dessus, l'animal utile est le panda : calme et sympathique. Pour __Jacques__ (repli), c'est l'image du tigre, pouvant passer d'un calme impérial à un rugissement impressionnant. Pour __Anne__ (lutte), c'est le cheval, un de ces chevaux espagnols dressés pour faire des figures et de la voltige : puissance et maîtrise.

Pour certains, les images d'animaux ne font pas tilt. Des personnages historiques, romanesques ou même des héros familiaux sont plus évocateurs.

Pour __Eric__, la photographie d'un moine tibétain a été très inspirante, elle symbolise l'image de sérénité qu'il recherche. Pour __Thierry__, c'est l'image de Saint-Louis sous son chêne qui lui apporte calme, assurance et détermination ; __Antoine__ pense souvent à Théodore Monod dans le désert. Cela l'encourage à avancer, même quand les conditions sont difficiles : ténacité et persévérance. Quant à __Elsa__, lorsqu'elle pense à son grand-père, elle trouve la droiture et le sens du devoir qu'elle recherche.

Exercice

Pour trouver un animal (ou un personnage) totem, c'est-à-dire qui incarne la qualité que vous recherchez dans telle situation difficile, installez-vous pendant quelques instants dans un endroit où vous ne risquez pas d'être dérangé. Puis posez-vous ces questions :

- **quelle ressource interne (courage, calme, dynamisme, affirmation, écoute...) ai-je envie de retrouver dans cette situation ?**

- **quel animal ou personnage incarne le mieux, pour moi, cette ressource ?**
- **quand je pense à ce totem, comment réagit mon corps ? Mon ressenti est-il agréable, neutre ou plutôt désagréable ? Que me dit mon intuition ?**
- **quand je pense à cette image, à ce personnage, suis-je plus à l'aise pour affronter la situation envisagée ?**

Remarques :

- pour certains d'entre vous, cette perception intuitive des choses est naturelle et vous n'aurez pas de mal à l'utiliser. Pour d'autres, cela n'ira pas de soi. Si c'est le cas, ne vous acharnez pas, vous aurez l'occasion de trouver dans les pages qui suivent d'autres techniques qui vous conviendront mieux ;
- si cette technique vous convient, jouez avec elle et utilisez-la aussi souvent que possible ;
- soyez conscients que l'efficacité de l'image totem se développe progressivement ; plus vous l'utiliserez et plus elle deviendra efficace ; comme si, à chaque fois, elle se chargeait d'une énergie un peu plus importante ;
- vous pouvez utiliser plusieurs images en fonction des situations et des ressources dont vous avez besoin ;
- le mode d'emploi pour utiliser cette technique est simple ; il vous suffit de vous imprégner, de votre image totem, avant le moment important que vous préparez, et de vous la remémorer à chaque fois que vous vous sentez déraper vers l'une de vos réactions de défense « préférées ».

Bâtissons-nous des points d'ancrage

L'ancrage[1] est une version renforcée du totem : c'est une ressource intérieure que vous pouvez utiliser quand vous sentez que la situation va demander toute votre énergie. Son principe consiste à faciliter l'arrivée d'un ressenti positif au moment où un ressenti négatif est sur le point de vous envahir.

La technique utilisée consiste à associer un *souvenir*, une *émotion positive*, un *mot* décrivant cette émotion et un *geste*, de façon à pouvoir déclencher cette émotion positive au moment où nous en avons besoin.

Inès *est assistante sociale dans un centre d'accueil spécialisé dans l'aide aux victimes (enfants battus, viols, agressions). Tant auprès de ses collègues que des personnes qu'elle suit, elle est appréciée pour sa capacité à obtenir des résultats : elle débrouille aussi bien les projets d'envergure que les tracas quotidiens. Son handicap : elle s'impatiente dès que les choses n'avancent pas. Et c'est une rapide ! Elle est capable de provoquer ses collègues et d'être cassante avec certaines victimes. Son énervement atteint un point culminant quand elle se rend compte, au cours de réunions de service, que ce qui a été prévu n'a pas été fait : « Comment font-ils pour ne jamais tenir leurs engagements ? » Elle ne peut s'empêcher de lancer des remarques bien senties à ceux qui l'énervent. Ces traits de caractère ne sont pas appréciés par son environnement et bloquent nombre de ses projets.*

Progressivement, Inès apprend à sentir quand la colère lui monte au nez. Elle apprend à faire appel à l'émotion positive qui lui manque pour chasser cette agressivité naissante. Elle y parvient en revivant une situation dans laquelle elle a ressenti un grand bien-être.

Cette expérience a eu lieu un soir d'été, au cours d'un séjour au Sénégal, dans un petit village de pêcheurs. C'était le coucher du soleil, les bateaux rejoignaient la côte, la chaleur était un peu tombée et les villageois accueillaient les

1. L'ancrage est une technique issue de la PNL (Programmation NeuroLinguistique).

pêcheurs avec des cris et des rires. Les enfants couraient sur la plage, accompagnés de chiens qui sautaient autour d'eux. Inès a ressenti une grande sérénité.

Au cours d'un entretien de coaching, nous l'avons aidée à revivre les sensations physiques de ce moment de plénitude. Elle a revu la lumière du soleil couchant ; elle a senti les odeurs et entendu les bruits du village.

En se remémorant ces sensations, elle a pu faire remonter les émotions éprouvées à l'époque : la douceur du moment, la joie communicative des enfants. Elle ne désirait rien d'autre, il lui semblait que son bonheur était total.

Quand son émotion a atteint son point culminant, elle a fermé sa main gauche, en mettant le pouce à l'intérieur de sa main, l'ongle touchant l'annulaire, (geste qu'elle avait choisi avant de se remémorer son souvenir), de façon à associer ce geste au souvenir de ce moment et à l'émotion qu'elle était en train de ressentir.

Grâce à ce geste et à cette association, elle peut revivre ce moment et cette émotion positive aussi souvent qu'elle le souhaite. Au cours d'une réunion ou d'un entretien, si elle sent l'agacement l'envahir, elle met en route la machine à bien-être. Elle se dit « bonheur », ferme sa main gauche, pouce à l'intérieur, et évoque le souvenir de ce moment. L'émotion positive revient et, très rapidement, Inès se sent mieux. Sa respiration s'apaise. Elle retrouve son calme. Elle peut à nouveau affronter la réunion sans être cassante et en gardant son efficacité.

La technique utilisée par Inès est une technique d'ancrage. Elle est facilement utilisable et très appréciée par toutes les personnes qui l'ont mise en œuvre : profiter des situations qui nous sont les plus pénibles pour évoquer un bon souvenir, avouez que cela mérite le détour !

À vous de jouer

Cette technique s'articule en dix étapes que vous pouvez tester par vous-même. Vous pouvez également demander à quelqu'un que vous appréciez pour ses qualités humaines de vous aider à les dérouler[1].

1. Si la situation que vous vivez est difficile, n'hésitez pas à faire appel à un thérapeute spécialisé ou un coach, formé à la PNL. En un ou deux entretiens il vous permettra d'acquérir cette ressource qui vous servira pendant de nombreuses années.

1. Identifiez une situation dans laquelle vous êtes mal à l'aise.
2. Identifiez la qualité qui vous manque, à ce moment-là, pour vous sentir bien.
3. Identifiez un geste que vous pourrez faire facilement sans attirer le regard de votre entourage et qui vous permettra de revivre l'émotion positive que vous voulez associer à cette qualité.
4. Retrouvez une situation dans laquelle vous avez éprouvé du bien être et, si possible, une situation dans laquelle vous aviez la ressource (sérénité, courage, ténacité, patience...) dont vous avez besoin.
5. Évoquez précisément le souvenir : que s'est-il passé sur le plan factuel (où, avec qui, quand, selon quel déroulement...) ?
6. Racontez-vous le souvenir en faisant appel à vos cinq sens. Qu'avez-vous vu, entendu, senti, ressenti sur le plan physique (température, impressions de douceur, larmes de joie...) ?
7. Laissez remonter l'émotion que vous éprouviez à ce moment-là. Prenez conscience des sensations physiques qui l'accompagnent.
8. Donnez un nom à cette émotion (bien-être, calme, plénitude, courage, patience, joie, dynamisme...).
9. Après avoir parcouru ce cycle une première fois, installez-vous confortablement, fermez les yeux et revivez-le une deuxième fois en laissant s'amplifier les émotions et les sensations que vous avez connues ce jour-là.
10. Quand l'émotion est importante, faites le geste que vous avez identifié au point 3 et prononcez deux à trois fois le mot que vous souhaitez associer à cette émotion. Laissez vos pensées circuler plusieurs fois du mot au ressenti, au souvenir et au geste, de façon libre, pour les associer les uns aux autres.

Entraînez-vous à déclencher cette émotion positive régulièrement, faites-le dans votre bain, dans le métro, en attendant le train, dans un encombrement, dans une salle d'attente...

En utilisant cette technique de façon fréquente, vous en renforcerez les effets.

Pour déclencher l'émotion, vous n'avez pas besoin de fermer les yeux : il vous suffit de vous remémorer le moment agréable, de faire le geste et de laisser remonter l'émotion positive. Plus vous le ferez, plus elle viendra facilement. Il n'y a pas de perte d'attention par rapport à la situation présente. Au contraire, cela vous permettra de la vivre de façon plus détendue, et donc plus attentive.

Après un peu d'entraînement, vous vous direz peut-être : « Chic, une réunion de parents d'élèves interminable... un entretien difficile en perspective... ! Je vais en profiter pour revivre l'un de mes souvenirs préférés. »

La madeleine de Proust

La célèbre madeleine de Proust est une superbe illustration de ce phénomène d'ancrage : une impression physique (le goût de la madeleine trempée dans le thé) a déclenché chez lui une forte émotion positive.

« Il y avait déjà bien des années que, de Combray, tout ce qui n'était pas le théâtre et le drame de mon coucher n'existait plus pour moi, quand un jour d'hiver, comme je rentrais à la maison, ma mère, voyant que j'avais froid, me proposa de me faire prendre, contre mon habitude, un peu de thé. Je refusai d'abord et, je ne sais pourquoi, me ravisai. Elle envoya chercher un de ces gâteaux courts et dodus, appelés Petites Madeleines qui semblent avoir été moulées dans la valve rainurée d'une coquille de Saint-Jacques. Et bientôt, machinalement, accablé par la morne journée et la perspective d'un triste lendemain, je portai à mes lèvres une cuillerée de thé où j'avais laissé s'amollir un morceau de madeleine. Mais à l'instant même où la gorgée mêlée de miettes de gâteau toucha mon palais, je tressaillis, attentif à ce qui se passait d'extraordinaire en moi. Un plaisir délicieux m'avait envahi, isolé, sans la notion de sa cause. Il m'avait aussitôt rendu les vicissitudes de la vie indifférentes, ses désastres inoffensifs, sa brièveté illusoire, de la même façon qu'opère l'amour, en me remplissant d'une essence précieuse ; ou plutôt cette essence n'était pas en moi, elle était moi. J'avais cessé de me sentir médiocre, contingent, mortel. D'où avait pu me venir cette puissante joie ? Je sentais qu'elle était liée au goût du thé et du gâteau, mais qu'elle le dépassait infiniment, ne devait pas être de même nature. D'où venait-elle ? Que signifiait-elle ? Où l'appréhender ? Je bois une seconde gorgée où je ne trouve rien de plus que dans la première, une troisième qui m'apporte un peu moins que la seconde. Il est temps que je m'arrête, la vertu du breuvage semble diminuer. Il est clair que la vérité que je cherche n'est pas en lui, mais en moi. Il l'y a éveillée, mais ne la connaît pas. »

Marcel Proust, *Du Côté de chez Swann*, Gallimard, 1913.

Certains courent après l'argent ou le pouvoir ; d'autres après l'amour, l'affection, le dévouement, la spiritualité ; d'autres encore après la réussite, la célébrité, l'aventure ou après l'alcool, la drogue... Mais derrière ces passions, ce que nous recherchons vraisemblablement, c'est cette impression dont parlait la jeune Nathalie[1], dans le film *Les invasions barbares* : « Chevaucher le dragon », vivre des moments intenses, riches de ressentis forts et positifs.

Et s'il était possible d'obtenir l'émotion sans les inconvénients ? S'il était possible de la faire durer plus longtemps et de la faire revenir aussi souvent qu'on le désire ?

Nous pouvons trouver en nous des ressources que nous ne savions pas utiliser jusqu'à présent. À nous d'apprendre les techniques permettant l'accès au trésor.

Avant de passer à la suite

Se connaître, tirer parti de nos qualités et de nos ressources dans les situations adéquates, connaître des techniques pour maîtriser nos dérapages : voilà un beau premier pas pour utiliser de façon plus importante le potentiel dont nous disposons à titre individuel et au sein des groupes auxquels nous appartenons. Dans l'étape qui suit, nous vous proposons de préciser ce qui fait votre spécificité, votre talent particulier, ainsi que le projet et la trajectoire qui vous permettront d'épanouir votre potentiel.

1. Interprétée par Marie-José Croze.

Deuxième partie

Prendre confiance en soi

Chapitre 3

Construire les fondations

« Il est temps de vivre la vie que tu t'es imaginée. »

Henry James

Objectif de ce chapitre

Vous aider à trouver le mode d'emploi de vous-même, et à l'utiliser de façon efficace.

Vous y trouverez :

- « Deviens ce que tu es »
- Commençons par mieux nous connaître
- Appuyons-nous sur nos points forts
- Trouvons notre propre mode d'emploi
- Renforçons notre assurance
- Appuyons-nous sur nos réussites
- Identifions notre valeur ajoutée
- Quel est mon talent ?
- L'exemple significatif
- Et nos défauts ?

« Deviens ce que tu es »

Cette injonction d'Aristote suscite enthousiasme mais aussi frustration : « Devenir ce que je suis, oui, avec plaisir, mais comment faire ? »

C'est une aspiration profonde pour la plupart des gens. Comment rester insensible à cet appel à être, à nous dépasser sans nous renier ? Ce projet est bien loin des reproches et critiques que nous avons entendus et que nous nous adressons à nous-même depuis l'enfance : « Arrête d'être désordonné/menteur/paresseux/complaisant/agressif/bavard... »

Est-il possible de devenir tout ce à quoi nous aspirons sans avoir à tricher, à être quelqu'un d'autre ? Seul le travail d'une vie entière permettra d'atteindre ce « tout ». En revanche, l'expérience montre que chacun d'entre nous a des marges de progrès importantes avec des bénéfices rapidement perceptibles.

Commençons par mieux nous connaître

***Martin** vient de perdre son emploi de directeur financier dans une entreprise industrielle. Cinq ans auparavant, il a déjà eu un accident de carrière et il se pose des questions sur son aptitude à garder un poste. En façade, Martin est sûr de lui, un peu « Monsieur Je sais tout ». Il obtient de bons résultats, mais au prix de tensions internes et, par moments, de paroles désagréables.*

Il recherche un autre poste de directeur financier mais ne parvient pas à convaincre ses interlocuteurs qu'il est « la bonne personne ». Quand on lui demande ce qu'il a de plus que les autres, il a du mal à répondre de manière pertinente. Il sait parler de ce qu'il a accompli, des dossiers difficiles, des résultats obtenus, mais cela ne suffit pas. Il n'arrive pas à exprimer clairement ses points forts. Les chasseurs de têtes et responsables ressources humaines, habitués à décrypter les candidats, perçoivent vite les incohérences entre son discours affirmé et l'impression générale qui se dégage de lui : un homme mal à l'aise avec lui-même et n'ayant pas un très bon relationnel. Malheureusement pour lui, ce genre de doutes fait souvent pencher la balance du mauvais côté.

Il est conscient de ces contradictions. Ne parvenant ni à les nommer, ni à en sortir, il souffre.

3. Construire les fondations

Le travail que nous avons mené avec Martin lui a permis de mieux comprendre qui il est, quels sont les objectifs qu'il peut se fixer avec confiance et comment exprimer son projet professionnel afin que les recruteurs adhèrent à son discours.

Nous l'avons aidé à mettre en évidence ses points forts, à mieux gérer ses points faibles et à renforcer la cohérence de sa présentation. Ce qu'il dit cadre mieux avec sa personnalité et son désir d'évolution de carrière. Les résultats ont été au rendez-vous : quelques semaines plus tard, les contacts qu'il avait se sont concrétisés.

Nous avons vu dans le chapitre précédent l'impact de nos réactions émotionnelles. Les pages qui suivent ont pour objectif d'apprendre à nourrir autrement notre crocodile et celui de nos proches.

Nous ne cherchons pas à vous faire « prendre la grosse tête » mais à construire une confiance fondée sur des éléments objectifs. Le développement de cette forme d'assurance permet de repousser le seuil de déclenchement des réactions de défense.

Plus la confiance en notre valeur ajoutée est forte, plus notre seuil de tolérance par rapport aux éléments ressentis comme des agressions est élevé.

Appuyons-nous sur nos points forts

__Gilbert__ vient de divorcer et depuis 6 mois, il assume seul l'éducation de ses filles de 15 et 17 ans. Les deux sont en échec scolaire : l'aînée, titulaire du brevet des collèges, n'a pas poursuivi l'école après la seconde et s'est inscrite sans conviction aux cours d'une école hôtelière ; la seconde, ayant déjà redoublé deux fois, est mal partie. Les rapports père-filles oscillent entre mutisme absolu et réponses agressives à la moindre question. Gilbert est inquiet de cet état de fait. Son objectif premier est de remobiliser ses filles dans leurs études, quitte à leur faire changer de voie, puis de rétablir de bonnes relations avec elles.

Les difficultés rencontrées sont classiques : comment renouer le contact avec ses enfants, les motiver, renforcer le niveau d'exigence, mieux gérer les tensions et les conflits ? Sa vie n'est pas en jeu, celle de ses filles non plus. Il est simplement conscient que tous les trois peuvent faire beaucoup mieux que ce qu'ils faisaient jusqu'à présent et être plus heureux ensemble.

Le mode de fonctionnement de Gilbert est une combinaison de repli et de fuite. Nous l'avons aidé à renforcer sa confiance en ses capacités à prévoir, anticiper et arrondir les angles. Par exemple, nous l'avons aidé à mettre en évidence ses succès professionnels : dans son travail, il n'a pas son pareil pour créer un climat harmonieux, et donc plus efficace. Alors, pourquoi pas chez lui ? Peu à peu, il a observé à quel point ses enfants ont confiance en lui et dans la démarche qu'il est en train de mettre en œuvre. Cette dynamique lui a donné beaucoup d'énergie. Son crocodile, rasséréné, lui a mis de moins en moins de bâtons dans les roues.

Le dialogue se renoue avec ses filles, avec elles il rencontre des conseillers d'orientation et il s'est démené pour les aider à trouver des stages dans les domaines qui les attirent.

La graine contient déjà l'arbre qu'elle peut devenir

Trouvons notre propre mode d'emploi

Nous avons tous un savoir-faire unique dans un domaine. Tous, nous avons un ou deux points sur lesquels nous sommes bien meilleurs que les autres. Mais rares sont ceux d'entre nous qui en ont conscience et le reconnaissent facilement. Les autres ont beau nous dire : « Tu es vraiment doué pour écrire/animer une réunion/restaurer un meuble/avoir des idées pour occuper un dimanche pluvieux ou encore, réussir le bœuf en daube », il nous est souvent difficile d'en être pleinement convaincu ! Nous nous reconnaissons ce savoir-faire sans pour autant croire que nous sommes meilleurs que les autres dans ce domaine. Nous avons l'impression que tout le monde pourrait faire la même chose et nous en venons parfois à le considérer comme sans valeur.

On pourrait appeler ce phénomène « le syndrome Obélix » : nous sommes tombés dans la marmite de notre talent quand nous étions petits ; nous n'évaluons pas notre force et nous en reprendrions bien une louche de temps en temps...

> Prenons conscience de nos talents et de notre savoir-faire : utilisons-les consciemment et de plus en plus souvent. Tout ce que nous faisions auparavant, avec succès, avec « génie », mais par hasard, nous vous proposons de l'identifier puis de le reproduire et l'enrichir de manière consciente et volontaire.

Renforçons notre assurance

La démarche que nous vous proposons comprend trois étapes :

- identifier quatre à cinq réussites ;
- en déduire vos qualités spécifiques, puis votre valeur ajoutée[1] et votre talent ;

- dans un troisième temps, identifier une expérience significative qui vous permettra d'illustrer par un exemple précis votre spécificité.

Les prochaines étapes vous permettront de réaliser progressivement ces différentes phases. Elles reprennent une partie des techniques et des outils que nous utilisons dans nos démarches de coaching.

Armez-vous de papier et d'un crayon et lancez-vous !

La pyramide des talents

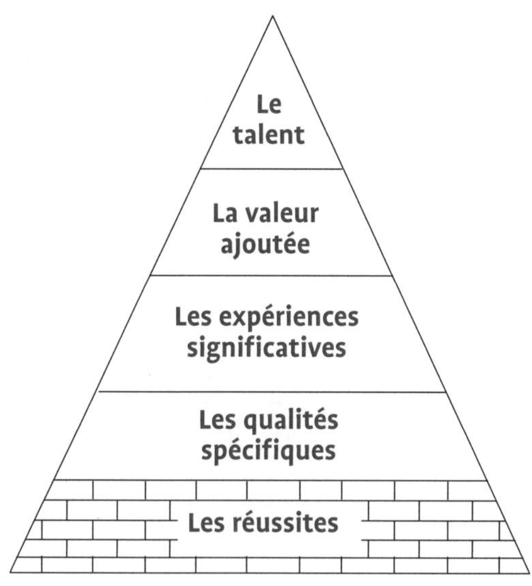

1. Nous appelons valeur ajoutée l'apport spécifique que nous avons vis-à-vis de nos proches, des groupes auxquels nous appartenons, de l'entreprise ou de la structure dans laquelle nous travaillons ; notre valeur ajoutée, c'est la synthèse des qualités qui répond à la question : « Qu'ai-je de plus que les autres ? Quelle est ma spécificité ? »

Appuyons-nous sur nos réussites

La première étape consiste à identifier quatre à cinq réalisations dont vous êtes fier, tous domaines confondus. Certaines de ces réussites peuvent être importantes, voire exceptionnelles :

- « J'ai appris à lire à un enfant que ses instituteurs déclaraient perdu pour les études. »
- « J'ai permis à mon équipe de remporter le challenge commercial organisé entre les directions régionales. »
- « J'ai gravi le Kilimandjaro avec des amis alors que je n'avais pratiquement jamais fait de haute montagne auparavant. »
- « J'ai fait le tour de France à vélo avec mes enfants. »
- « En trois mois, avec mon site Internet amateur, j'ai atteint une audience de 500 visiteurs par jour. »

Mais il est également important d'identifier parmi vos réussites celles qui ne présentent rien d'extraordinaire, si ce n'est votre fierté de les avoir réussies et l'expression d'un savoir-faire qui vous est propre :

- « J'ai réussi à remettre mon dossier dans les temps alors que le délai était vraiment serré. »
- « Ces petits lierres que vous voyez dans les bacs crevaient tout le temps... Mais je ne me suis pas découragé, j'ai trouvé la bonne quantité d'eau, la bonne exposition et les voilà en pleine forme ! »
- « Je suis le roi de la paella. »
- « Quand il y a un truc à réparer à la maison ou chez des amis, c'est toujours moi qu'on appelle... »

Et vous, quelles sont vos réussites ?

Pour faciliter votre réflexion, vous pouvez utiliser le tableau qui suit :

Analyse des « réussites »

MES RÉUSSITES
Que s'est-il passé ? :
....
....
....

LEUR ANALYSE
Pourquoi c'est une réussite :
....
....
....
Ce qui l'a favorisé :
....
....
....
Les qualités qu'il m'a fallu :
....
....
....

3. Construire les fondations

Prenez, dans la vie de tous les jours, des choses que vous aimez faire et que vous réussissez bien. Choisissez des réussites et des plaisirs de votre vie professionnelle et personnelle. L'objectif consiste en effet à identifier des qualités et des talents valables quel que soit le domaine de notre vie. Même si nous nous adaptons aux circonstances et au rôle social dans lequel nous sommes, à l'instant « t », notre mode de fonctionnement et nos réflexes restent les mêmes. Nous sommes une seule et unique personne, quels que soient le lieu où nous nous trouvons, la situation que nous sommes en train de vivre.

- Faites une liste sous forme de brainstorming, sans jugement, analyse ou commentaire. Qu'est-ce qui vous plaît le plus dans votre vie quotidienne : aimez-vous faire la cuisine, le bricolage ? Aimez-vous la lecture, la peinture, le cinéma, le sport, les sorties entre amis ? Rappelez-vous la dernière fois où vous avez ressenti beaucoup de plaisir, de satisfaction, de fierté, de joie, de plénitude, etc. Identifiez un moment précis, le moment ou vous avez ressenti intensément cette émotion.
- Donnez un nom à ce souvenir : « Le barbecue de la Saint-Jean, il y a deux ans », « Le marathon Paris-Versailles, il y a cinq ans », « Quand j'ai réussi à reconstruire et faire marcher un cabriolet Triumph à partir de deux exemplaires en mauvais état », « La chambre d'enfant entièrement redécorée par mes soins », « Le livre de philosophie lu jusqu'au bout cet été alors qu'il était vraiment dense »...
- Décrivez les faits : que s'est-il passé ? Soyez aussi précis que possible. Par exemple, à propos du marathon Paris-Versailles : « Je pratique régulièrement la course à pied, j'avais toujours rêvé de faire cette course. Je me suis préparé pendant six mois avec un ami. J'ai réussi à terminer, et dans un temps dont je suis fier ».
- En quoi cet événement est-il une réussite ? Quelles difficultés avez-vous surmontées ? Exemple, à propos de la chambre d'enfant : « Cela faisait des années que je souhaitais redécorer la chambre de mon fils qui avait grandi. C'était important pour moi, et j'ai réussi à le faire toute seule, alors que d'habitude c'est le domaine de mon mari ».
- Quelles qualités avez-vous mises en œuvre ? Exemple, à propos du livre de philosophie : « Il a fallu que je m'accroche ; à plusieurs moments, j'ai failli m'arrêter, je trouvais la façon dont l'auteur s'exprimait trop compliquée. Mais j'avais vraiment envie d'aller jusqu'au bout et je l'ai

fait. Je pense que les qualités dont j'ai fait preuve sont la patience, la persévérance, la ténacité, la capacité à me plonger dans un livre ou un dossier compliqué et à mener mon travail à bien ».

Les faits ne mentent pas. Le principal bénéfice de cet exercice est d'associer les qualités identifiées à des événements précis. Elles en deviennent d'autant plus crédibles et objectives.

Vous aboutirez ainsi à une vision plus précise de *votre façon à vous* de réussir. Certaines qualités ne vous surprendront pas : « Oui, c'est vrai, je trouve facilement des solutions concrètes et faciles à mettre en œuvre, je le savais... Pour autant, c'est bon de réaliser à quel point ça se confirme ! » Pour d'autres qualités, au contraire, c'est la découverte : « Je ne m'étais pas rendue compte pas que je pouvais être aussi persévérant ! »

Ce processus permet de préciser vos qualités et de les mettre en perspective, pour les utiliser plus fréquemment.

En les nommant, en les écrivant, vous allez les reconnaître et les « officialiser » pour vous-même. L'impact de cette reconnaissance sur notre crocodile est toujours très puissant car, « en temps normal », nous avons peu l'occasion de le nourrir de la sorte !

Ce travail peut néanmoins déclencher vos réactions de défense « préférées » : vous agacer (et vous donner envie de tout envoyer promener), vous inquiéter (et vous donner envie de passer à autre chose) ou vous donner l'impression que c'est trop long et difficile (et vous donner envie de tout laisser tomber). Si c'est le cas, profitez-en pour observer ce qui se passe : voilà l'occasion rêvée de regarder le crocodile en pleine action et d'apprendre à mieux l'apprivoiser !

Notre recommandation : caressez votre crocodile dans le sens des écailles et continuez à progresser. Ce travail est important : c'est en vous remémorant vos réussites, en les ayant présentes à l'esprit, que vous construirez des bases solides et gagnerez en liberté et en autonomie.

Si vous ne savez pas, demandez-le « respectueusement » à votre inconscient

Quand nous regardons autour de nous, notre cerveau enregistre en permanence des milliers d'informations, mais sa partie consciente n'en sélectionne que quelques-unes. Toutes ces informations sont néanmoins perçues, traitées et stockées par notre inconscient.

Quand vous n'avez pas la réponse à une question que vous vous posez, demandez-la respectueusement à votre inconscient. Une autre façon de le dire serait : faites appel à votre intuition. Nous sommes tous capables d'apporter des réponses à des questions auxquelles nous étions convaincus de ne pas pouvoir répondre (« Je ne sais pas ! »). Et pourtant si, souvent, nous le savons !

Intuitivement, sans réfléchir, que diriez-vous ?

Votre cerveau possède toutes sortes d'informations qui ne demandent qu'à être exprimées.

Identifions notre valeur ajoutée

Une fois vos qualités spécifiques identifiées et passé le premier moment de satisfaction, vous vous direz peut-être : « Je suis bien avancé... À quoi cela me sert-il de savoir tout ça ? Est-ce que cela va réduire mon stress, mes craintes, mon angoisse, ma nervosité ? En quoi ces belles qualités peuvent-elles m'être utiles dans ma famille et dans mon travail ? »

C'est pour répondre à cette question de l'utilité que nous nous sommes intéressés aux notions de *talent* et de *valeur ajoutée.*

Nous appelons *valeur ajoutée* la synthèse des qualités qui répond à la question : « Qu'ai-je de plus que les autres ? Quelle est ma spécificité » ?

Voilà quelques exemples de *valeur ajoutée* :

- la capacité de « redresseur » de **Jean**, sa faculté à prendre la responsabilité d'une équipe de football et en améliorer les résultats en moins d'un trimestre ;
- la diplomatie de **Béatrice**, sa capacité à exprimer des choses que personne n'oserait dire. Elle est si douée pour écouter et se rendre disponible que n'importe qui se confierait à elle ;
- la ténacité de **Christine**, sa capacité à s'attaquer à des dossiers complexes et à les mener à bien, quel que soit le temps que cela lui prendra ;
- le savoir-faire de **Vincent**, sa capacité à faire aboutir un projet personnel ou professionnel, quelles que soient les difficultés rencontrées.

Comment identifier votre valeur ajoutée ?

- **après avoir décrit et commenté vos quatre à cinq « réussites », faites une liste des qualités identifiées et que vous vous reconnaissez (nous vous recommandons de relire régulièrement cette liste pour pouvoir vous en imprégner et les utiliser sciemment et fréquemment) ;**
- **identifiez dans cette liste les deux ou trois qualités qui vous semblent les plus significatives ;**
- **posez-vous la question : « Qu'est-ce que j'apporte ou pourrais apporter aux différents groupes auxquels j'appartiens : dans mon travail, dans ma famille, dans l'association où je suis bénévole ?... Au regard de mes expériences précédentes, qu'ai-je apporté aux autres ? Qu'est-ce que je fais mieux ou plus facilement que les autres ? »**
- **exprimez cette valeur ajoutée par écrit, modifiez la phrase jusqu'à ce qu'elle vous convienne bien ;**
- **relisez et affinez cette valeur ajoutée pendant quelques jours. Laissez votre inconscient vous dire ce qu'il en pense. Est-ce que vous vous reconnaissez dans cette valeur ajoutée ? Est-ce qu'elle vous paraît être juste par rapport à qui vous êtes ?**
- **quand elle vous convient, notez-la à un endroit où vous aurez l'occasion de la relire régulièrement (agenda, marque-page, post-it sur votre bureau ou dans votre placard, etc.). N'hésitez pas à la faire évoluer de temps en temps.**

Quel est mon talent ?

Nous appelons *talent* le don, la qualité spécifique qui nous permet de réussir bien et sans effort certaines activités.

Autrement dit, le talent est à la source de la valeur ajoutée. Le talent est quelque chose d'inné, la valeur ajoutée, au contraire, est un savoir-faire que l'on a développé à partir de ce talent.

Quelques exemples de talent :

Jean *sait décider, trancher, bousculer ; il a du courage : ces qualités lui permettent de prendre rapidement toutes sortes de décisions que ses prédécesseurs à la tête de l'équipe de foot n'arrivaient pas à prendre. Son talent est la capacité à distinguer instantanément ce qui est bien de ce qui ne l'est pas, selon ses critères ; c'est plus fort que lui, il fait preuve de discernement.*

De la même manière, ***Béatrice*** *sait prendre les gens dans le sens du poil ; elle a toujours le souci de ne pas blesser les autres, de ne pas être à l'origine de conflits. Son talent est l'empathie, la capacité à identifier instinctivement ce qui risque de heurter son interlocuteur ou ce qui peut lui faire plaisir.*

Vincent *a un souci de perfection. Il est exigeant et fait preuve de vigilance : cela lui permet de mener à bien les projets dont il est responsable, avec de très bons résultats. Son talent : la capacité à identifier avant tout le monde ce qui pourrait présenter un risque pour son projet. Il est doué d'une forte intuition : son système radar fonctionne en permanence, presque malgré lui.*

Vous aurez également reconnu dans ces talents les aspects positifs des états de défense. Notre talent, personne ne pourra jamais nous l'enlever ! Si un domaine de notre vie s'effondre (maladie, perte du travail ou d'un être aimé), cela nous prive d'une partie de nous-même, cela peut nous rendre la vie difficile, mais cela ne pourra jamais nous enlever notre talent.

Les conditions pour que votre talent s'exerce ne sont pas toujours optimales ; il pourra parfois être endormi ou enseveli sous une épaisse couche de cendres. Si nous prenons le temps de souffler sur les braises il sera toujours prêt à repartir.

Comment identifier votre talent ?

Trois questions peuvent vous y aider :

- « Qu'est-ce qui me permet de réussir ce que je réussis ? Quel est le talent qui me permet de mettre en œuvre la valeur ajoutée que je viens d'identifier ? »
- « Qu'est-ce qui est plus fort que moi, qu'est-ce que je ne peux pas m'empêcher de faire et qui est lié à la valeur ajoutée que je viens d'identifier ? »
- « Quel est mon état de défense le plus fréquent, est-ce la fuite, la lutte ou le repli ? » Dans un premier temps, vous pouvez vous aider de ce que vous avez identifié comme état de défense principal : rappelez-vous les qualités associées à cet état de défense et voyez quelles qualités et expressions correspondraient le mieux à ce que vous ressentez.

Vous ne trouverez peut-être pas immédiatement le talent qui vous correspond. Travaillez par approches successives. Réfléchissez-y régulièrement et vous trouverez peu à peu les mots qui vous conviennent. Laissez votre inconscient jouer avec les mots et vous dire ce qu'il en pense.

En travaillant simultanément sur le processus réussites/qualités/valeur ajoutée/talent, et sur l'observation de nos réactions de défense, nous obtenons une idée plus précise de ce qu'est notre talent. Tout se tient.

Il y a une forte cohérence entre ces éléments : quand nous parvenons à la mettre en évidence notre confiance en nous s'en trouve renforcée.

L'exemple significatif

Toujours dans le souhait d'identifier votre spécificité et de l'utiliser consciemment, nous vous recommandons de repérer un exemple significatif de qui vous êtes. Vous pouvez le chercher parmi les exemples de réussite déjà cités, parmi des situations rapportées par des proches ou encore à travers d'autres situations vécues dont vous vous souvenez.

Il suffit de vous poser la question : « Et si je devais résumer en un seul exemple ce que je sais bien faire, ce qui fait ma spécificité par rapport à mes collègues, amis et autres personnes de mon entourage, quel serait cet exemple ? »

Au départ, on pense ne pas savoir répondre. Pourtant, il suffit souvent de se poser la question et d'en parler un peu autour de soi pour que l'exemple vienne rapidement en tête. N'hésitez pas en parler avec des gens en qui vous avez confiance. Parlez-leur des exemples significatifs que vous avez trouvés ; demandez-leur si, de leur côté, ils n'en ont pas un à votre sujet. C'est souvent l'occasion de conversations riches.

Au fil des mois, cet exemple peut s'enrichir, changer, être remplacé par un exemple encore plus significatif ou rester en parallèle avec deux ou trois autres exemples révélateurs de talents différents. Ce qui importe, c'est que vous puissiez illustrer les éléments positifs que vous avez mis en évidence sur vous-même par un souvenir significatif et motivant.

C'est un peu le même principe que le totem et l'ancrage.

***Jean-Pierre** a choisi comme exemple significatif ce moment où, au cours d'un voyage, on lui a demandé de remplacer un chamelier au pied levé. Il faisait une randonnée dans le désert avec sa femme et des amis, moitié à pied, moitié à dos de chameau. Au milieu de la randonnée, l'un des chameliers a dû rentrer chez lui et il fallait trouver au sein du groupe de voyageurs quelqu'un qui puisse le remplacer. Jean-Pierre a été choisi. À son insu, il avait montré qu'il savait conserver son calme en toutes circonstances. Depuis le début du voyage, il s'était beaucoup intéressé aux faits et gestes des chameliers. De plus, il s'entendait bien avec tous les membres du groupe et avec les autres chameliers. Aux*

dires de ses amis, il s'est acquitté de sa mission avec talent. Quelques années plus tard, dans son entreprise, c'est aussi lui qu'on a choisi pour prendre au pied levé la responsabilité d'une équipe dont le manager venait de tomber malade.

Pour ***Stéphane****, un exemple significatif dont il s'est souvent servi, c'est le souvenir d'une promenade qu'il a faite après ses études de géologie. Il a pris conscience qu'il était capable, en regardant un paysage, de dire quelles étaient les ressources minières en sous-sol. Un mélange de connaissances, d'observations et d'intuition. Par la suite, il a remarqué qu'il fonctionnait presque toujours de la sorte.*

Comment identifier un premier exemple significatif ?

- Posez-vous, par écrit, la question suivante : « Parmi toutes les choses que j'ai faites, quel est l'exemple le plus significatif de ma façon de fonctionner et de mes qualités ? »
- Notez deux ou trois exemples qui vous viennent à l'esprit, même s'ils ne semblent pas pertinents a priori. Laissez parler votre intuition !
- Relisez ce que vous avez écrit sur vos réussites, vos qualités, votre valeur ajoutée, votre talent.
- Parmi les exemples cités, quel est celui qui est le plus significatif de qui vous êtes vraiment ?
- Pensez-y de temps en temps pendant quelques jours, jusqu'à ce que vous parveniez à un exemple que vous puissiez complètement vous approprier.
- N'hésitez pas, par la suite, à le compléter par un ou deux autres exemples ou à le remplacer par un exemple encore plus significatif.

Faites votre autoportrait

Pour faire une synthèse du travail réalisé jusqu'à présent, nous vous proposons de rédiger un autoportrait. Donnez-lui la forme qui vous ressemble le plus (texte très structuré ou au contraire très créatif, texte ou dessin commenté...).

Pour l'écrire, bien sûr, appuyez vous sur tout ce que vous avez vu jusqu'à présent. Vous pouvez commencer par une phrase de type : « Je suis quelqu'un qui... » Parlez de vos qualités, de votre talent, de votre valeur ajoutée, de l'exemple significatif... Sentez-vous libre de le faire à votre façon.

Pour vous aider dans cette démarche, n'hésitez pas à utiliser les extraits du questionnaire de Proust que vous trouverez ci-dessous. Vous pouvez également imaginer que vous rédigez une lettre pour obtenir le poste de vos rêves, intégrer une équipe sportive, faire partie d'une association artistique qui vous intéresse depuis longtemps.

Ce travail vous permettra de progresser vers une prise de conscience plus approfondie de qui vous êtes et de renforcer votre confiance en vous.

Questionnaire de Proust (extraits)

- le principal trait de mon caractère ;
- la qualité que je désire chez un homme ;
- la qualité que je préfère chez une femme ;
- ce que j'apprécie le plus chez mes amis ;
- mon principal défaut ;
- mon occupation préférée ;
- mon rêve de bonheur ;
- ce que serait mon plus grand malheur ;
- ce que je voudrais être ;
- le pays où je désirerais vivre ;
- la couleur que je préfère ;
- la fleur que j'aime ;
- mes auteurs favoris ;
- mes peintres favoris ;
- mes héros dans la vie réelle ;
- mes héroïnes dans l'histoire ;
- ce que je déteste par-dessus tout ;
- caractères historiques que je méprise le plus ;
- la réforme que j'estime le plus ;
- le don de la nature que je voudrais avoir ;
- les fautes qui m'inspirent le plus d'indulgence.

En 1883 – il avait alors 22 ans – Marcel Proust rédigea un questionnaire à caractère autobiographique. Lui-même y apporta ses propres réponses... Ce questionnaire sert encore aujourd'hui pour dresser des portraits et cerner des caractères : l'hebdomadaire *L'Express* y a ainsi régulièrement recours.

Et nos défauts ?

« Dans la vie de tous les jours, ce que je vois surtout et que je subis en permanence, ce sont mes défauts ! Ils n'arrêtent pas de me mettre des bâtons dans les roues... »

Invariablement, à chaque fois que nous aidons nos interlocuteurs à mettre en évidence leurs points forts, ils soulèvent cette objection. Nos défauts nous taraudent et nous ne pouvons pas les laisser de côté.

Pour répondre à ces doutes, repartons des états de défense. Nous avons vu que tout défaut est le pendant d'une qualité, et vice versa. À chaque fois que vous êtes tenté de vous plaindre de vos défauts, rappelez-vous les qualités mises en évidence par ces défauts. À l'inverse, quand vous êtes admiratif de certaines personnes qui vous entourent, ne soyez pas trop indulgent : apprenez à reconnaître les points faibles qui se cachent derrière ces talents :

- les personnes qui ont une bonne capacité d'affirmation et savent décider, deviennent souvent cassantes lorsque le stress monte ;
- quelqu'un dotée de toute la diplomatie et la persévérance nécessaires pour venir à bout d'interlocuteurs récalcitrants aura plus de mal à prendre les décisions quotidiennes ;
- ceux qui sont souples, rapides et innovants risquent, sous stress, de s'agiter inutilement et de s'éparpiller.

Arrêtez-vous quelques instants sur vos points faibles et vos points forts

Prenez conscience de la cohérence entre ces deux facettes de votre personnalité : sur un tableau à deux colonnes, établissez la liste de vos quatre ou cinq principales qualités, puis celle de vos quatre ou cinq points faibles. Cherchez à faire le rapprochement.

Exemples de correspondance entre points forts et points faibles

Points forts	Points faibles
• Trancher, décider, savoir prendre des décisions • Bouger, innover, avoir des idées • Prendre du recul, mettre de la cohérence, de la cohésion	• S'agacer facilement, répondre de façon agressive • Tendance à l'agitation, à l'éparpillement • Tendance à la lenteur, difficulté de décision
• ... • ... • ...	• ... • ... • ...

Avant de passer à la suite

Le fait d'avoir précisé qui nous sommes, nos points forts et nos points faibles, notre talent, notre valeur ajoutée spécifique... apporte calme, confiance et sérénité. Mais ce n'est pas encore suffisant. Pour maintenir notre énergie, notre dynamisme et notre motivation, en toutes circonstances, d'autres facteurs entrent en jeu. Le chapitre suivant leur est consacré.

Chapitre 4

Se mettre en route vers son objectif

« Qu'on me donne l'envie, l'envie d'avoir envie. »

Jean-Jacques GOLDMAN pour Johnny Hallyday

Objectif

Rester efficace, serein, motivé, quelles que soient les circonstances.

Vous y trouverez :

- Ras le bol !
- Les trois axes de la motivation : qui, où, comment ?
- Où vais-je ?
- Marcher vers le but que je me suis fixé (comment j'y vais ?)
- Affronter les obstacles ?
- À chacun ses leviers

Ras-le-bol !

***Axel**, n'a pas le moral. D'abord, c'est l'hiver, avec son cortège de rhumes, lèvres gercées et teint blafard. Ensuite, la jeune femme qu'il trouvait charmante vient de lui dire qu'elle vivait avec quelqu'un. Il ne sait pas encore avec qui il va passer Noël, car son unique frère lui a annoncé qu'il emmenait toute sa famille au soleil. Au boulot, ce n'est pas mieux : sous prétexte de réductions budgétaires, il n'a pas été autorisé à suivre la formation longue qu'il demande depuis deux ans et son patron avec lequel il s'entendait très bien vient d'être nommé à un autre poste.*

Il en a ras-le-bol. Il a l'impression de s'être dévoué auprès de ses proches, et d'avoir travaillé avec acharnement pendant plusieurs années sans être en mesure de récolter les fruits auxquels il peut prétendre. Il ressent à la fois une grande fatigue et un fort sentiment d'injustice.

Un tel enchaînement de mauvaises nouvelles entraîne inévitablement des réactions chez celui ou celle qui en fait les frais. Les réactions sont différentes selon la personnalité de chacun : pour certains ce sera de la fébrilité, de l'inquiétude et de l'agitation, pour d'autres ce sera de l'énervement, de la colère et des manifestations d'agressivité, pour d'autres enfin de l'abattement, de la fatigue...

Les trois axes de la motivation : qui, où, comment ?

En nous appuyant sur les travaux de plusieurs psychologues, et principalement sur ceux de l'américain Victor Vroom, nous avons identifié trois axes majeurs sur lesquels travailler pour maintenir ou renforcer la motivation :

- **Premier axe : « Qui je suis ».** En particulier, quels sont mes points forts et comment les développer, mais, également, quels sont mes points faibles et comment en minimiser l'impact ? C'est ce que nous avons vu dans le chapitre « Construire les fondations ».
- **Deuxième axe : « Où je vais ».** Quel est mon projet à court, moyen et long terme ? De quoi ai-je vraiment envie ?
- **Troisième axe : « Comment j'y vais ».** Étapes intermédiaires, moyens à mettre en œuvre, moyens de résoudre les difficultés rencontrées.

Les trois axes de la motivation

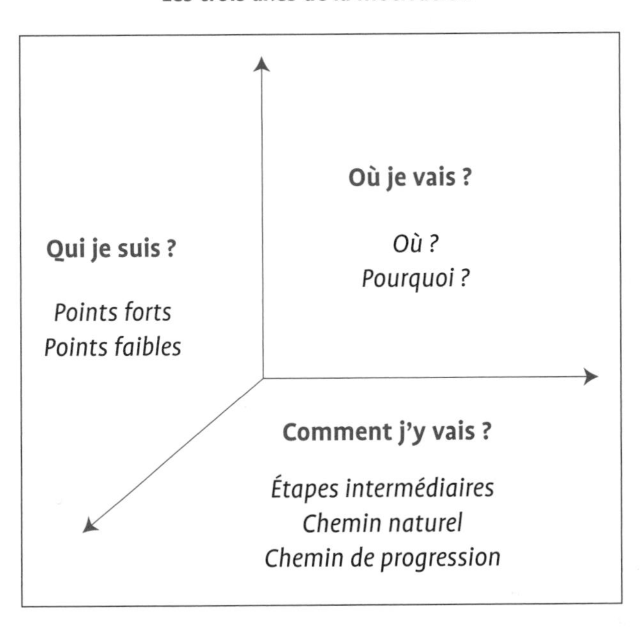

Lorsque vous vous sentez mal à l'aise dans une situation ou une relation, nous vous recommandons, après avoir pris en compte votre émotion, de vous poser la question : « Qu'est-ce qui me freine, me gêne, me manque ? ». Cherchez ensuite à identifier sur quel axe se situe cette gêne ou ce frein.

> Identifier la nature du problème facilite la prise de distance à son égard et réduit le niveau d'implication. Il devient beaucoup plus facile de s'en occuper et de sortir de notre crispation.

Concrètement, posez-vous les questions suivantes :

- « Mes objectifs à moyen ou long terme sont-ils clairs ? », « Est-ce que je sais où je vais et pourquoi j'y vais ? »
- « Suis-je conscient de mes points forts, de mes points faibles, de ma valeur ajoutée, de mon talent, de l'image que j'ai de moi ? »

- « Ai-je bien identifié les étapes et les moyens qui vont me permettre d'atteindre mes objectifs, les savoir-faire pour résoudre les problèmes sur ma route ? »

Lorsqu'**Axel** s'est remémoré ses objectifs à moyen terme et les étapes prévues, lorsqu'il a senti qu'il était sur le bon chemin, sa fatigue a commencé à disparaître. Compte tenu de ses réactions de repli, Axel a besoin de retrouver la logique et l'utilité des actions qu'il met en œuvre : « Où vais-je ? »

L'important, pour quelqu'un réagissant en lutte : déterminer les points forts sur lesquels il peut s'appuyer, les compétences qu'il maîtrise, « Qui suis-je ? »

L'important, pour quelqu'un caractérisé par la fuite/le mouvement : identifier les étapes qui baliseront son chemin, « Par où vais-je passer ? Quels sont les points de repères, les moyens, les savoir-faire, les options dont je dispose ? »

Pour que notre motivation se maintienne au bon niveau, nous avons tous besoin d'être au clair sur chacun des trois axes. Même si, pour chacun d'entre nous, l'un de ces axes est plus important que les autres.

Commencez à les clarifier dès maintenant pour pouvoir y faire appel avec facilité lorsque vous serez confronté à un challenge ou une difficulté.

Où vais-je ?

« Une force mystérieuse me pousse vers un but que j'ignore. »

Napoléon Bonaparte

Comme une source cachée, l'envie existe en nous, sans toujours être perceptible. Elle peut être clairement exprimée, rester enfouie ou juste affleurer à quelques centimètres du sol. Mais elle est toujours là ! Tous, nous aspirons à donner le meilleur de nous-même. Tous, nous avons en nous cette énergie vitale, le besoin de devenir pleinement « qui nous sommes ».

Tous, nous sommes graine et aspirons à devenir arbre.

Notre projet personnel est notre baguette de sourcier : il ouvre le chemin de l'envie. Il donne l'énergie et l'assurance dont nous avons besoin pour avancer.

Nous connaissons tous, par moments, ce sentiment que tout marche comme sur des roulettes, que rien ne nous résiste. C'est cette sensation de surfer sur les événements que nous vous proposons de cultiver.

Mais comment y parvenir ? Toutes les réponses sont en nous. Pour les obtenir, il suffit de prendre quelques instants, sans poser des questions simples, et laisser parler notre intuition.

Vous trouverez ci-dessous trois façons d'aborder le sujet :

- **identifier vos objectifs à court, moyen et long terme ;**
- **vous reconnecter avec vos rêves ;**
- **imaginer le bilan de votre vie.**

Choisissez les questions qui vous conviennent le mieux, formulez vos objectifs d'une manière qui vous mette à l'aise.

Si vous êtes surtout en lutte ou en repli, il vous sera facile de travailler sur un objectif précis. En revanche, s'il y a en vous beaucoup de fuite, Vous aurez du mal à identifier un objectif fixe. Vous serez plus à l'aise avec un objectif général ; par exemple : vivre pleinement ma vie professionnelle, profiter de la vie, avoir une vie bien remplie, saisir les opportunités...

La complainte de la serveuse automate
***Starmania*, Luc Plamondon et Michel Berger, 1978**

« ... J'veux pas travailler
Juste pour travailler
Pour gagner ma vie
Comme on dit
J'voudrais seul'ment faire
Quelque chose que j'aime
J'sais pas c'que j'aime
C'est mon problème... »

Identifions nos objectifs à court, moyen et long terme

Première façon de savoir où aller : se poser directement la question et écrire les réponses telles qu'elles nous viennent à l'esprit. Nous pensons connaître ces éléments et pourtant les formuler par écrit s'avère très utile. Cela nous permet de les préciser.

Voici les questions auxquelles nous vous recommandons de répondre par écrit :

1. « Quels sont mes objectifs à six mois, deux ans, cinq ans, dix ans... ? »

   Par exemple :

   « Dans deux ans je voudrais avoir un deuxième enfant, et peut-être passer en 4/5e de temps pour être avec eux le mercredi. Dans cinq ans, j'aimerais être manager de mon équipe. »

   « Dans deux ans j'aimerais un poste à l'étranger ; dans cinq ans, avoir travaillé dans deux pays différents ; dans dix ans, revenir en France et prendre une fonction de direction. »

   « Dans deux ans je voudrais avoir terminé ma maîtrise de lettres modernes ; dans cinq ans enseigner dans un lycée de Savoie pour rejoindre mon compagnon qui est guide de haute montagne. »

2. « Quelles expériences ont été vraiment positives au cours des dernières années et pourquoi ? »

3. « Quelles compétences ai-je acquises au cours des dernières années ? »

Après avoir répondu aux deux dernières questions, relisez vos objectifs précédents et, si besoin, faites-les évoluer en fonction de ce que vous venez d'écrire ; demandez-vous quels sont ceux auxquels vous tenez le plus, et ce qu'ils apporteront à vous-même, à votre famille, à votre entourage.

N'oubliez pas de rédiger ces réponses ; relisez-les régulièrement et modifiez-les aussi souvent que vous le souhaitez.

Reconnectons-nous avec nos rêves

Depuis combien de temps vivons-nous déconnectés de nos rêves et de nos envies profondes ?

Enfant, ***Marc*** *rêvait d'être architecte. Quand il a été temps pour lui de choisir ses études, il s'est ouvert de ce désir à ses parents. « Architecte, ce n'est pas rémunérateur, lui répondit son père, viens plutôt travailler avec moi ! » La profession de ce dernier était essentiellement financière, et au jour le jour. Elle ne convenait pas à ce jeune garçon qui rêvait de construire pour longtemps... Aujourd'hui, Marc est coach et formateur ; il aide ses clients à réaliser leurs projets et à les installer dans la durée. Il n'a pas exercé le métier de ses rêves d'enfant. Mais son activité répond à ses aspirations initiales.*

Les chances, déboires, influences et hasards de notre vie nous ont souvent éloignés de nos désirs profonds. Il ne s'agit pas de remettre en question ce qui a été accompli jusqu'à présent : il s'agit de trouver, au sein de nos activités actuelles, ou en complément, des objectifs et des projets en phase avec nos aspirations.

Enfant ou adolescent, nous avons eu des héros, des rêves, des activités qui nous projetaient vers cet idéal que nous atteindrions quand nous serions adultes. Nous pensions que l'âge adulte nous offrirait la possibilité d'être autonomes, de nous accomplir, de faire ce que nous avions envie de faire. Arrivés à l'âge adulte, la réalité est souvent éloignée de ces rêves.

En vous remémorant vos souhaits, en les croisant avec vos activités professionnelles, associatives, artistiques, sportives et votre vie personnelle, remettez-vous en contact avec ce que vous désirez vraiment. C'est le moyen d'avoir accès à l'une de nos sources d'énergie les plus importantes : l'énergie de « la graine », l'envie de se réaliser.

Revisiter nos souvenirs d'enfance ou de jeunesse a l'avantage de nous extraire du quotidien. Si cela vous est difficile, pensez à vos personnages préférés (films, romans, personnages historiques).

Quelques questions pour vous aider à vous remettre en contact avec vos aspirations

Posez-les calmement ; laissez votre cerveau retrouver des souvenirs parfois lointains ; soyez à l'écoute des rapprochements que vous ferez et qui, peut-être, vous surprendront. Demandez respectueusement à toute la partie non consciente de votre cerveau de vous apporter les réponses les plus utiles.

- **Quels métiers rêviez-vous d'exercer quand vous étiez enfant ou adolescent ? (Variante :** ***quels métiers aimeriez-vous exercer, aujourd'hui, si vous pouviez tout changer ?*****)**
- **Quels étaient vos héros préférés ? (Variante :** ***quels sont vos modèles, vos personnages préférés ?*****)**
- **Quels étaient vos jeux, vos activités quand vous étiez enfant ou adolescent ? (Variante :** ***quels sont vos hobbies, vos passe-temps favoris ?*****)**
- **Qu'est-ce qui compte pour vous aujourd'hui ? Que désirez-vous accomplir dans les années qui viennent, dans chacun des domaines de votre vie ?**

N'oubliez pas de rédiger vos réponses, pour les approfondir et pouvoir y revenir. Puis faites le rapprochement avec vos objectifs. Quelles conclusions pouvez-vous en tirer ?

Quand j'étais enfant, je voulais être...

Voilà quelques exemples pour vous aider à trouver une équivalence entre vos aspirations d'hier et celles que vous pourriez retrouver dans vos activités actuelles :

Explorateur : Aller de l'avant, côté pionnier, goût de l'aventure, du challenge, de l'inconnu...

Facteur : Rendre service, proximité avec les gens, goût pour la communication...

Fermier : Amour de la nature et des animaux, liberté, autonomie, espace, travail concret, patience...

Garagiste : Comprendre comment ça marche, goût pour la technique, contact avec la matière, envie d'obtenir des résultats, tangibles...

Marchand : Goût de la négociation, du contact...

Pompier : Sauver les gens, courage, métier où toute la personne est exposée...

Votre marge de manœuvre varie selon votre âge et votre situation... L'objectif consiste à retrouver cette envie viscérale de progresser sur votre chemin.

Si votre métier actuel ne vous satisfait pas, avez-vous, dans vos activités extraprofessionnelles, des activités qui comblent vos aspirations ? Si ce n'est pas le cas, que pourriez-vous faire pour en trouver une ?

> Se reconnecter avec ses rêves permet de retrouver énergie et dynamisme !

À la fin de ma vie...

Autre façon de préciser votre projet et vos objectifs, posez-vous les questions suivantes : « À la fin de ma vie, quel souvenir aimerais-je laisser derrière moi ? Que voudrais-je avoir accompli ? Qu'est-ce qui me permettra d'être fier du chemin parcouru ? Qu'ai-je envie que mes petits-enfants ou mes arrière-petits-enfants disent de moi ? »

Pour vous faciliter le travail

Choisissez parmi les expressions suivantes celle qui vous correspond. Modifiez-la autant que vous le souhaitez, jusqu'à la formulation qui exprime bien ce que vous voulez dire :

- « J'ai servi à quelque chose ; ma vie a eu un sens, j'ai été utile... »
- « J'ai eu une vie bien remplie. »
- « J'ai accompli ce que j'avais prévu d'accomplir, j'ai obtenu les postes que je voulais tout en m'occupant de ma famille. »
- « Je suis fier du chemin parcouru. »

Puis répondez aux questions à propos de vos rêves, en ayant à l'esprit cet objectif « à la fin de ma vie ». Prenez du temps, laissez décanter et revenez-y plus tard. Laissez votre inconscient travailler à son rythme.

Comparez ces réflexions avec vos réactions de défense : chaque mode de réaction de défense génère un certain nombre d'attitudes spécifiques :

- **si vous réagissez surtout en lutte**, vous aurez vraisemblablement tendance à vous fixer des challenges. Plus l'objectif est difficile, plus il est motivant. Ce qui comptera pour vous, c'est le sens des responsabilités vis-à-vis de votre famille et de votre environnement professionnel. Les objectifs intermédiaires seront plus difficiles à trouver : ils vous sembleront inutiles.

  Vos objectifs pourront s'exprimer de la façon suivante : « Je souhaite devenir propriétaire du salon de coiffure dans lequel je travaille, acheter une belle maison, faire partie du conseil municipal, être fier des études de mes enfants ».
- **si vous réagissez par la fuite**, votre projet consistera vraisemblablement à créer les conditions vous permettant de vous sentir libre, d'avoir toujours plusieurs options possibles, de pouvoir voyager, faire des choses nouvelles, améliorer, innover.

  Vos objectifs pourront s'exprimer ainsi : « Je souhaite avoir vu, lu et accompli beaucoup de choses, avoir contribué à ce que les gens se sentent bien et heureux... une vie bien pleine et pleine de bien. »
- **si vous réagissez par le repli**, vous sentir utile, accomplir, réaliser, éventuellement laisser une trace pour la postérité, voilà ce qui comptera à vos yeux.

> Vos objectifs seront formulés ainsi : « Ce qui est important pour moi : avoir contribué à des projets utiles pour ma famille, ma ville, mon entreprise... laisser un certain nombre de biens à mes enfants (maison, bijoux ou meubles qui sont dans la famille depuis des générations) que ma vie ait eu du sens. »

Après avoir mené ces réflexions, arrêtez-vous quelques instants et demandez-vous : « En résumé, où ai-je envie d'aller à court, moyen et long terme ? Qu'est-ce qui est important pour moi ? Et pourquoi – qu'est-ce que cela va m'apporter ? »

Notez ces quelques lignes à un endroit qui vous donne l'occasion de les relire régulièrement.

Se connecter à ses moteurs

Marcher vers le but que je me suis fixé (comment j'y vais ?)

« Si je gagnais une heure par jour, je l'utiliserais pour marcher très lentement vers une fontaine. »

Le petit prince, Antoine de SAINT-EXUPÉRY

Une fois identifiés nos points forts, nos points faibles, notre spécificité, et précisés nos objectifs, il nous reste à acquérir le plus de confiance possible dans notre capacité à atteindre ces objectifs.

En premier lieu, fixons-nous les étapes intermédiaires.

Question pour les trouver : « Quelles sont les deux ou trois étapes clés, les passages obligatoires pour atteindre les objectifs que je me suis fixés ? Quel est le premier pas à faire sur ce chemin ? »

Fixons-nous des étapes accessibles

Pour rester dans la dynamique, l'énergie et la motivation, il est important que les buts fixés soient accessibles. Il ne s'agit pas de diminuer nos objectifs globaux, mais de les fractionner en sous-objectifs atteignables.

***Clara**, depuis sept ans, ne compte pas ses heures dans son travail. Elle aime son métier de consultante et les responsabilités qu'il lui offre, mais souffre de ne pas avoir de vie à elle. Elle aimerait avoir des activités en dehors, voir davantage ses amis, fonder une famille... Par ailleurs, elle adore voyager et rêve de vivre quelque temps dans un pays d'Asie. Son objectif intermédiaire : trouver un poste ou une mission dans un des pays souhaités, assurer tous les aspects matériels de son départ (déménagement, sécu, impôts, etc.).*

À la question « Quelles étapes clés vont me permettre d'atteindre mon objectif ? », la réponse vient simplement : « Me renseigner auprès de mes amis et des associations qui existent, des ambassades... »

*En raison de ses connaissances et de sa disponibilité, **Yuan** a conscience d'être particulièrement écouté dans l'association à laquelle il appartient. Le poste de président va être remis en jeu à la rentrée prochaine, et il sait que s'il se présente, il a de bonnes chances d'être élu. Mais il n'a jamais été responsable d'une équipe et il a peur de ne pas être à la hauteur. Son objectif intermédiaire : en parler avec des gens de l'association en qui il a confiance, vérifier leur accord pour soutenir sa candidature et constituer une équipe.*

À la question « Quelles étapes clés vont me permettre de l'atteindre ? », sa réponse a été : « Renforcer ma capacité à m'affirmer, en particulier avec tel adhérent un peu "grande gueule" ; faire chaque mois le bilan des moments où j'ai dit ce que je pensais et ce que je voulais, et ceux où je ne suis pas parvenu à le faire ; puis me demander comment, le mois suivant, améliorer les points faibles identifiés dans ce processus. »

Quel sera notre premier pas ?

« Un voyage de mille lieues commence toujours par un premier pas. »

Lao Tseu

Il y a un monde entre la réflexion et l'action. Pour beaucoup, c'est dans le passage à l'action que ça coince.

À chaque fois que nous voulons faire avancer un projet, mettre en œuvre un savoir-faire nouveau, il est essentiel de fixer précisément le moment où nous allons mettre en application ce que nous avons décidé de faire. Cette pratique a été vérifiée aussi bien dans le domaine du management, dans celui de la conduite de projets que par les formateurs et thérapeutes.

La question à poser ou à se poser est alors la suivante : « Concrètement, qu'allez vous faire ? Quel est votre prochain pas ? »

*Réponse de **Clara** : « Je vais appeler mon meilleur ami : il a travaillé en Asie pendant deux ans. Il a encore plein de contacts là-bas, peut-être aura-t-il une idée pour moi ! »*

*Premier pas d'**Yuan** : organiser un déjeuner informel avec deux de ses proches relations au sein de l'association.*

Vous n'êtes pas encore convaincu de l'importance de vous fixer un prochain pas ? Observez ce qui se passe quand, avec des amis, vous avez décidé d'organiser une fête et qu'à la fin de la réunion, vous ne fixez ni la date de la prochaine rencontre, ni les objectifs de chacun. Inévitablement vous allez prendre plusieurs journées, voire plusieurs semaines de retard. Quel que soit le domaine, professionnel ou personnel, si des actions concrètes n'ont pas été planifiées, si des rendez-vous n'ont pas été fixés, tout ou partie des objectifs ne seront pas atteints.

Un peu de pensée positive...

Il y a une différence entre vouloir et être engagé, entre vouloir et avoir foi en la réussite de son objectif. Quand je veux quelque chose, trop souvent je me concentre sur les obstacles qui m'empêchent de l'atteindre, je crée les conditions pour que ces obstacles persistent.

Si, au contraire, je suis engagé à obtenir les résultats que je me suis fixés, si j'ai foi en ma capacité à les atteindre, alors je crée les conditions favorables pour y parvenir.

« La foi déplace les montagnes. »

Affronter les obstacles ?

« Ne craignez pas d'être lent, craignez seulement d'être à l'arrêt. »

Proverbe chinois

Quand nous avons réfléchi sur ces différents points, trouvé la direction, dessiné le chemin, identifié les forces sur lesquelles nous appuyer, que peut-il encore nous manquer ?

Ce qui peut nous freiner, voire nous arrêter complètement, c'est la peur de ne pas y arriver. Et, plus généralement, toutes les réactions de défense que nous avons face aux obstacles qui se présentent. La question qui nous taraude : « Vais-je réussir, vais-je y arriver ? »

« Comment faire avancer ces ados qui traînent des pieds, ces amis qui promettent beaucoup et tiennent peu ? Comment satisfaire ce patron dont les exigences ne cessent d'augmenter ? Comment accroître mon efficacité, modifier mes comportements et ceux des autres ? Comment convaincre mon patron, mon mari, le banquier, ma mère ? Comment rester serein et efficace quand les événements ne correspondent pas à ce que j'ai prévu ? »

Nous avons pu observer qu'en travaillant simultanément sur une prise de conscience des talents et des savoir-faire spécifiques, sur un développement progressif de nos compétences, sur une utilisation consciente des ressources émotionnelles (ancrage), sur une mise en œuvre systématique de ces savoir-faire dans les pratiques quotidiennes...

Il se produit un accroissement significatif de la maturité et de la confiance ; l'émergence d'une assurance profonde et sereine. Petit à petit, un cercle vertueux se met en place et nous conduit à oser dire et faire des choses qui nous auraient semblées inimaginables auparavant.

Engagez-vous

« Il existe une vérité première dont l'ignorance a déjà détruit d'innombrables idées et de superbes projets : au moment où nous nous engageons totalement, la providence éclaire notre chemin. Une quantité d'éléments sur lesquels nous ne pourrions jamais compter par ailleurs contribuent à nous aider. La décision engendre un torrent d'événements et nous pouvons alors bénéficier d'un nombre de faits imprévisibles, de rencontres et de soutiens matériels que nul n'oserait jamais espérer.

Quelle que soit la chose que vous pouvez faire ou que vous rêvez de faire, faites-la. L'audace porte en elle génie, puissance et magie.

Commencez dès maintenant. »

Goethe

Cité par W. H. Murray dans *L'Expédition écossaise dans l'Himalaya*

Distinguons deux types d'obstacles

Jusqu'à présent, nous avons travaillé sur la confiance en soi, sur l'état d'esprit dans lequel aborder les situations. Face à l'obstacle lui-même, l'expérience montre qu'il est utile de distinguer deux types de cas :

- les situations peu compliquées et qui ne semblent pas insurmontables ;
- celles qui semblent difficiles à surmonter et dont les chances de succès, à première vue, sont plus faibles.

Utilisons notre chemin naturel

Quand l'obstacle est important et les enjeux élevés, nous vous recommandons d'utiliser votre « chemin naturel », c'est-à-dire votre manière spontanée d'agir, celle qui vous réussit bien et correspond, en général, à votre réaction de défense la plus fréquente.

Jean-Louis *est excellent pour prendre du recul, retrouver le fil directeur et s'adapter. Lorsqu'un dégât des eaux s'est déclenché dans sa salle de bains pendant les vacances, inondant une partie de son appartement et ceux des deux voisins du dessous, tout le monde autour de lui s'est affolé... Lui a pris un jour pour digérer, puis il a écouté le point de vue de sa femme et d'amis à qui ce problème était déjà arrivé ; enfin, il a appelé ses voisins pour s'excuser et a cherché avec eux des solutions qui satisfassent tout le monde. Même les voisins les plus énervés se sont calmés, et le problème a été réglé rapidement, dans une bonne harmonie.*

Clarisse *inaugure son magasin ; elle a fait un mailing pour inviter des journalistes, des amis et tous les gens du quartier à un buffet d'inauguration. La veille, elle appelle le traiteur supposé livrer le buffet. Ce dernier tombe des nues : « Ce n'était pas la semaine prochaine ? » Après un moment de panique, Clarisse pense tout d'un coup à la fête que sa belle-sœur avait organisée et pour laquelle elle avait fait appel à Naïma, une amie libanaise, excellente cuisinière. Elle a déployé toute sa gentillesse pour expliquer la situation à Naïma et la convaincre de préparer pour le lendemain un buffet pour 50 convives. Naïma a fourni un excellent buffet libanais et l'ambiance a été très sympathique.*

Michael *a été embauché par Matthieu, directeur général d'une PME, en tant que responsable administratif et financier, pour redresser la barre de l'entreprise. Il assume le rôle désagréable de « Monsieur Non », celui qui réduit les coûts. Il n'est pas populaire au sein des effectifs, mais c'est flagrant : au bout d'un an, les comptes de l'entreprise sont redressés. Par moments, il passe en force.*

Pour ces trois personnes, il s'agit bien d'un chemin naturel, avec tous ses avantages et ses inconvénients :

- une manière de faire qu'ils connaissent bien, qu'ils utilisent facilement et souvent avec plaisir ;
- mais qui présente des risques : un sentiment de flou et d'agitation pour la fuite, un risque d'agacement et de ressentiment pour la lutte, et une lenteur de décision pour le repli.

C'est cette technique que nous vous recommandons d'utiliser à chaque fois que vous rencontrez un obstacle difficile. Pour aborder un problème ardu, munissez-vous de vos armes les plus affûtées, celles que vous maîtrisez avec dextérité. Pour mettre toutes les chances de votre côté, commencez par utiliser ce que vous savez bien faire : votre talent, votre expérience, et vos habitudes comportementales actuelles. Dans un deuxième temps et dans des circonstances moins tendues, vous pourrez vous entraîner à mettre en œuvre des compétences et des habitudes comportementales nouvelles.

Élargissons notre chemin de progression

Quand l'obstacle à franchir vous semble inhabituel mais pas insurmontable, nous vous recommandons d'utiliser ce que nous appelons le « chemin de progression » ; c'est-à-dire des savoir-faire que vous ne maîtrisez pas encore de façon parfaite mais qui vous sont accessibles.

***Arnaud** est submergé par Simone, sa mère, qui l'appelle tous les deux jours, veut déjeuner avec lui chaque semaine, le culpabilise lorsqu'il refuse... Ces appels le mettent dans un état de léthargie qui ne lui ressemble pas. Il en arrive à imaginer couper les ponts avec sa mère, qu'il adore. Il souhaite simplement ne plus être envahi. Après avoir pris son courage à deux mains, il décide d'être plus direct qu'à son habitude. Il organise un rendez-vous avec Simone, prépare très sérieusement son message et parvient à lui dire : « Maman, je t'aime, et, dans le même temps, j'aimerais que ce ne soit pas toujours toi qui m'appelles. Quand tu as besoin de moi, tu sais que j'accours. Mais, en temps normal, j'ai besoin d'un peu d'air. » Après cette discussion, Arnaud est soulagé. Contrairement à ce qu'il craignait, Simone n'est pas vexée mais elle est satisfaite de ces échanges. Cela l'a rassurée que son fils s'ouvre à elle, elle sentait bien que depuis quelque temps il n'était pas dans son assiette... Ce n'était que cela ! Arnaud a profité de cette situation pour renforcer ses capacités d'affirmation.*

*Pour **Marthe**, directrice d'une école, il s'agira de dire non à l'une de ses institutrices à propos d'une demande d'horaires allégés, au moment où deux autres* *institutrices de l'école sont en congé maternité. Son objectif consistera à dire non, de façon sympathique mais ferme – éventuellement, de voir avec elle à quel moment ces horaires allégés pourront être mis en place.*

Votre chemin de progression est celui qui vous fera dire : « Voilà le type d'attitude que je souhaite développer. Ce n'est pas évident, je n'y arriverai pas forcément du premier coup, mais j'ai vraiment l'intention d'y aller et je vais avancer pas à pas. »

Trouvons les chemins qui nous correspondent

Quel est votre chemin naturel ? Quel est votre chemin de progression ? Comment les mettre en évidence ?

En observant avec un peu de recul ce qui marche, vous allez vous rendre compte que les processus sont souvent les mêmes. Vous avez votre façon à vous de franchir les obstacles. Vous allez ainsi identifier un chemin naturel.

Par opposition votre chemin de progression sera la façon dont vous aimeriez faire les choses pour éviter certains des inconvénients liés au précédent (dispersion, agacement, lassitude, etc.).

Une autre façon de faciliter l'identification de vos chemins naturel et de progression consiste à revenir aux états de défense. Ces chemins sont en effet liés à leurs aspects positifs.

Les chemins possibles

	1	2	3	4	5	6
Combinaison	**Lutte-Fuite**	**Lutte-Repli**	**Fuite-Lutte**	**Fuite-Repli**	**Repli-Lutte**	**Repli-Fuite**
Le chemin naturel	N'en faire qu'à sa tête en usant d'un bon relationnel	Passer en force, se battre contre l'adversité	Ne pas lâcher sa cible jusqu'à l'avoir atteinte	Bouger, créer, innover	Prendre du recul, s'appuyer sur l'expertise	S'adapter, mettre du liant, rendre service
Le chemin de progression	Prendre le temps d'écouter les suggestions et les remarques des autres avant de décider	Apprivoiser son agacement, prendre en compte le point de vue de l'autre	Réduire le niveau d'exigence (« le mieux est l'ennemi du bien »)	S'en tenir aux solutions et aux décisions prises, cultiver sa patience	Exprimer son point de vue plus rapidement, même sans en être sûr à 100 %	Affirmer son point de vue avec plus de fermeté, faire confiance à son intuition

Quels que soient les profils dans lesquels vous fonctionnez, le chemin de progression n'est pas évident. Ce travail requiert du temps et de la persévérance.

Il s'agit, comme précédemment, de remplacer d'anciens réflexes par de nouveaux. C'est la raison pour laquelle nous vous recommandons d'utiliser ce chemin dans des situations où l'obstacle est à votre portée. Le risque, dans le cas contraire : abandonner, penser que vous ne parviendrez pas à le mettre en œuvre, que c'est trop difficile ou hasardeux.

Et vous...

Testez les différentes solutions que vous aurez identifiées, d'abord dans des cas qui ont peu de conséquences (avec un ami, un collègue proche, un serveur dans un café...).

Si elles fonctionnent, tant mieux, continuez, répétez leur utilisation aussi souvent que possible et dans des situations de plus en plus importantes pour vous. Vous allez affiner votre manière de faire.

Sinon, empruntez un autre chemin, mettez au point d'autres solutions, de nouvelles façons de faire. Vous aurez de bonnes surprises. Vous allez voir que changer vos façons de faire n'est pas si contraignant ; cela peut même être agréable, amusant, stimulant !

À chacun ses leviers

Quand nous sommes plongés dans l'action, nous ne pouvons pas avoir en tête tout ce que nous venons d'étudier.

> Ce qui compte, c'est d'avoir à notre disposition deux ou trois leviers familiers et facilement utilisables, qui nous permettent de mobiliser notre énergie.

Pour chacun, ces leviers seront différents :

- pour certains, ce sera **un mot**, une qualité, un ancrage auditif « Autorité naturelle... Calme, sérénité... ; ou encore un refrain, une chanson...
- pour d'autres, ce sera **une devise** (« Tout vient à point à qui sait attendre... À cœur vaillant, rien d'impossible ! On n'est jamais prophète en son pays. »)
- pour d'autres, encore, ce sera **un geste**, un ancrage physique (toucher une alliance, un bijou auquel vous accordez une signification particulière, mettre votre pouce dans le creux de votre main, poser la main sur votre ventre, respirer profondément, prendre votre stylo ou un objet auquel vous tenez...) ;
- cela peut être également, un **exemple significatif** (« Cette audition de piano, quand toute la salle m'a applaudi debout... », « L'organisation de mon mariage, j'avais tout mis au point avec ma femme et c'était parfait ») ;
- pour d'autres, enfin, ce sera un **animal**, une image ou un personnage totem.

Il s'agit d'utiliser ce levier dans une situation difficile ou dont les enjeux sont importants pour faire revenir en mémoire, et dans le corps, les ressources intérieures et les savoir-faire dont nous disposons.

Nos croyances, nos convictions, notre état d'esprit, génèrent des émotions ou des sensations qui influent sur nos comportements ; nos comportements, à leur tour, influent sur les résultats de nos actions.

> En agissant sur nos croyances, nous aurons un impact sur nos ressentis et sur la qualité de nos résultats.

Pour identifier votre levier privilégié

Posez-vous simplement la question : « Qu'est-ce qui est le plus important pour moi ? Qu'est-ce qui va m'être le plus utile, le plus efficace ? Quelles sont les sensations que je ressens quand j'évoque ce levier ? Est-ce du bien-être, de la confiance, du plaisir ou, au contraire, un sentiment de manque, d'insatisfaction ? »

Notez-le sur un papier et revenez-y régulièrement pour le modifier, le préciser, le corriger... Votre intuition vous avertira lorsque vous serez parvenu au levier qui vous correspondra vraiment.

Au fur et à mesure des mois et des années, en fonction des obstacles que vous serez amené à rencontrer, le levier qui fonctionnera le mieux pour vous ne sera plus forcément le même, il évoluera.

Avant de passer à la suite...

Que pouvons-nous finalement répondre à l'injonction d'Aristote : « Deviens ce que tu es » ?

L'expérience nous montre que :

- **C'est possible** ; les personnes avec lesquelles nous travaillons progressent de façon significative. En quelques mois, elles acquièrent des savoir-faire, des « savoir-être » et une conscience d'elles-mêmes qu'elles n'avaient pas. Elles sont beaucoup plus conscientes de leur talent, de leur spécificité, de leurs compétences.
- **C'est utile** ; ce qu'elles apprennent leur permet d'être à la fois plus efficaces et plus à l'aise dans leur vie professionnelle et personnelle. Elles ont accès à des ressources qu'elles soupçonnaient à peine.

- **C'est simple** ; cette approche consiste à utiliser de mieux en mieux ce que nous aimons et savons faire, et à mieux gérer ce qui nous gêne, nous freine...

Il s'agit finalement d'apprendre à nous caler face à l'obstacle, à nous attaquer à la résolution du problème, sans tomber dans l'une ou l'autre de nos réactions de défense « préférées ». Et cette attitude est valable quels que soient l'environnement, le rôle social, la situation dans lesquels nous nous trouvons.

Pour devenir pleinement qui vous êtes, pour renforcer simultanément sérénité, efficacité et joie de vivre, pour avoir accès à votre potentiel, le moyen le plus efficace consiste à utiliser sciemment les savoir-faire et les talents dont vous disposez. Vous deviendrez ainsi, progressivement, « professionnel de vous-même ».

« Utilise ce que tu es pour devenir ce que tu es » : c'est la voie de la maturité, de l'efficacité et de l'épanouissement.

Troisième partie

Communiquer

Chapitre 5

Développer son efficacité relationnelle

« Si tu diffères de moi, loin de me léser, tu m'enrichis »

Antoine de Saint-Exupéry

Objectif de ce chapitre

Exprimer ce que nous avons à dire de façon forte, efficace et acceptable par nos interlocuteurs.

Vous y trouverez :

- Affirmons-nous mieux
- Exprimons clairement notre message
- Concentrons-nous sur les faits : le « message-je »
- Du « message-tu » au « message-je »
- Alternons affirmation et écoute
- L'écoute, notre meilleure alliée
- Mettons le turbo dans notre écoute : « l'écoute active »
- Il n'y a pas de comportement aberrant
- Il y a toujours une raison pour ne pas écouter
- Repartons sur de nouvelles bases
- Construisons des solutions sans perdant
- Inscrivons nos relations dans le long terme
- Conflits de solutions, conflits de valeurs

Affirmons-nous mieux

***Bruno** a besoin d'avoir une maison ordonnée. **Nathalie**, sa femme, aime la spontanéité et trouve qu'une maison rangée est un peu morte. Elle a l'impression de perdre son temps quand elle range. En général, c'est donc Bruno qui range l'appartement tout seul, et ça l'agace.*

Demain, ils reçoivent des amis à dîner et il tient absolument à ce que l'appartement soit nickel ; il va voir sa femme : « Allez, on range ! J'en ai assez de ce souk. » Nathalie n'aime pas quand Bruno lui parle sur ce ton.

Elle met un disque dans la chaîne, et ils se mettent à ranger les sacs qui traînent dans l'entrée, les vêtements des jours précédents ; lui, très efficace, elle, papillonnant, se dispersant d'une pièce à l'autre. Cela énerve Bruno qui ne peut pas s'empêcher de lui faire une remarque désagréable : « Puisque tu le prends comme ça, tu n'as qu'à ranger tout seul ! » Nathalie non plus n'a pas pu s'empêcher de répondre. Et elle part prendre un bain. Tous les deux s'en veulent au moins autant à eux-mêmes qu'à l'autre.

Bruno aurait-il dû ranger tout seul, comme d'habitude ? Devrait-il renoncer à demander l'aide de Nathalie ? Nathalie aurait-elle été satisfaite s'il ne lui avait rien demandé tout en faisant la tête ? Non, dans tous les cas !

Nous avons tous des dizaines de situations de ce genre à notre actif. À chaque fois, nous sommes frustrés de ne pas obtenir de meilleurs résultats. Nous sommes bien conscients de la nécessité de ne pas laisser la situation en l'état, et pourtant nous avons du mal à trouver le bon équilibre entre notre envie de faire changer les choses et le maintien d'une bonne qualité relationnelle. Très souvent, le message passe mal ; les tensions et les non-dits s'accumulent ; le résultat escompté n'est pas obtenu et la température émotionnelle s'élève.

Ne nous arrêtons pas au premier obstacle !

Que se passe-t-il lorsque nous cherchons à augmenter notre niveau d'exigence ? Des réactions fourmillent dans la tête de la personne à qui nous en demandons plus. « Qu'est-ce qui lui prend ? Pourquoi me demande-t-il cela à moi, aujourd'hui ? J'en ai ras-le-bol qu'il en exige toujours plus ! » Une routine était installée, un équilibre précaire était en place, un mode de fonctionnement à peu près acceptable par chacun avait été trouvé... Et tout cela est remis en cause par une attente qui s'exprime.

Formulées ou non, ces réactions polluent l'esprit de notre interlocuteur — et le nôtre — car nous les devinons, les anticipons... : « Dis tout de suite que ce que je faisais avant n'était pas bien... Vas-y, déroule ton petit topo, comme si je ne t'avais pas vu venir ! OK, je vais faire ce que tu me demandes. Mais vu le ton que tu prends, je vais en faire le moins possible ! » Ou encore : « De toute façon je trouverai bien un moyen de continuer comme avant... » Pas toujours aussi caricaturales, ces pensées peuvent également être pires. Inexprimées, elles peuvent se traduire par des intonations, des bougonnements, de la mauvaise humeur... Sans en connaître le contenu, le demandeur pressent ce que l'autre a en tête.

Dans la vie professionnelle, nous savons très bien que cette insatisfaction chez notre interlocuteur l'empêche de s'impliquer complètement dans son travail. C'est un comble ! Nous sentons qu'il y a un blocage dans la relation et que cela rejaillit sur les résultats. Et pourtant nous ne pouvons pas nous empêcher de reproduire toujours les mêmes erreurs.

> Quel que soit l'environnement, nous avons trop souvent le sentiment de vivre un vrai gâchis relationnel. Et nous touchons du doigt ce gigantesque potentiel de bien-être et d'efficacité collective dont nous pourrions disposer si nous parvenions à mieux nous y prendre.

Exprimons clairement notre message

Nous avons tous des difficultés à formuler clairement ce que nous attendons de notre vis-à-vis. Nous pensons le faire, mais les autres ont souvent du mal à décoder nos messages et nos attitudes.

> Tout se passe comme si, inconsciemment, nous brouillions nos messages.

Lorsque nous émettons notre demande, nous anticipons les réactions de notre interlocuteur. Cela nous met dans l'un de nos états de défense préférés et se traduit dans notre manière de nous exprimer :

- « Je veux que ta chambre soit rangée. Ça prendra le temps que ça prendra, mais tu ne sortiras pas d'ici avant de l'avoir fait. Et arrête de traîner des pieds, ça nous changera ! »

Voilà le type de phrases qui nous viennent spontanément lorsque **notre dominante est la lutte**. Ce message, souvent exprimé de manière cassante, agresse le destinataire :

- **un destinataire en lutte** se sentira dévalorisé par un tel message, et cela l'énervera ;
- **un destinataire en fuite** sera angoissé et réagira de manière agitée et brouillonne ; il se dérobera par une pirouette ou un mensonge ;
- **quant au destinataire en repli**, ce type de message déclenchera des réactions d'abattement et de soumission...

- « Cela fait trois jours que je te demande de ranger ta chambre et tu ne l'as toujours pas fait, c'est fatiguant. Je ne sais plus quoi faire ! Tu ne crois pas que tu pourrais faire un petit effort ? Ce n'est quand même pas compliqué ! Allez, sois sympa... »

L'intention sous-jacente est : « Bon, je me suis enfin décidé à le dire. C'est important, et je ne veux surtout pas mettre trop de pression, ça risque de créer des tensions inutiles. » Le risque encouru par **une personne en repli** est que son message ne soit pas pris au sérieux. Les choses sont dites de manière si peu affirmée qu'elles n'ont pas l'air importantes :

- **un interlocuteur en lutte** sera agacé par ce manque d'affirmation ;
- **un destinataire en fuite** sera inquiet ;
- **un interlocuteur en repli** ne sera pas suffisamment stimulé. Il aura trop de marges de manœuvre et aura du mal à se mettre en marche.

- « Regarde cet appartement, c'est encore le bazar, et les invités qui arrivent demain, que vont-ils penser, déjà la dernière fois on les a reçus dans un capharnaüm alors que chez eux, c'est nickel chrome... Il s'agit de Gilbert et Marianne, ceux qu'on avait vus l'été dernier. Je crois que tu t'étais bien entendu avec leur fils. J'aimerais vraiment que tu y mettes du tien, avec tout le mal qu'on se donne pour les réunir et pour faire le dîner... J'aurais aussi besoin d'un coup de main pour le dîner. Est-ce que tu crois que tu auras tout fini à temps ? »

La personne en fuite qui émet sa demande veut à la fois atteindre son objectif et ne pas déplaire. De plus, elle a l'angoisse de ne pas réussir. Trois messages sont contenus dans une même phrase, si bien que l'interlocuteur s'embrouille : comment décoder ce qui est important ? L'angoisse de l'émetteur rejaillit sur son interlocuteur, et, finalement, il y a de fortes chances pour que le message principal n'ait pas été reçu.

- ce type de demande va énerver **le destinataire en lutte** ;
- **une personne en fuite** verra son inquiétude se renforcer ;
- quant **au destinataire en repli**, il risquera d'être découragé.

Lorsque nous restons dans notre état de défense, nous ne parvenons pas à faire passer notre message de façon claire. Il arrive déformé par nos émotions.

Dès lors, comment s'étonner que les autres ne fassent pas ce que l'on attend d'eux, même dans les situations où tout le monde a intérêt à progresser ? À la difficulté d'accomplir une tâche délicate, de changer des habitudes, nous ajoutons, sans le vouloir, le poids de nos réactions émotionnelles ; au lieu d'aider ceux qui nous entourent à réduire les leurs, nous les renforçons.

Comment améliorer l'efficacité de nos messages ? Comment exprimer nos demandes sans déclencher chez notre interlocuteur agressivité, agitation ou blocage ? C'est autour de ces thèmes qu'a travaillé Thomas Gordon durant toute sa vie.

Concentrons-nous sur les faits : le « message-je »

Après plusieurs années de travail avec des managers, des responsables et des parents, Thomas Gordon[1], psychologue américain et élève de Carl Rogers, a identifié que le moyen le plus efficace de faire passer ses idées consiste à exprimer son message en trois parties :

- **Une partie exprimant les faits concrets** : « Hier, nous avons décidé ensemble que c'était toi qui faisais les courses pour le dîner de ce soir. Et là, en rentrant du bureau, je me suis aperçu que ça n'avait pas été fait. »
- **Une partie exprimant les conséquences pour nous de ces faits** : « J'ai été obligé de repartir à toute vitesse pour le faire et j'ai perdu trois quarts d'heure, sans compter le stress ! »
- **Une partie exprimant ce que nous ressentons par rapport à cette situation** : « Je suis très agacé (découragé, stressé). »

> Le « message-je » peut être défini comme un message concret et sans agressivité où j'exprime mon insatisfaction. S'exprimer sous forme de « message-je », c'est parler des faits, ceux qui se sont produits, ceux que l'on souhaite obtenir, ceux qui ne doivent pas se reproduire, et de ce que l'on ressent.

Le « message-je » permet de formuler ce que nous avons besoin de dire, tout en désamorçant une partie de la « bombe émotionnelle ». Le destinataire du message va entendre une plus grande exigence de notre part. Il sera peut-être contrarié par l'énoncé des faits mais ne se sentira pas accusé. Il aura, en général, envie d'expliquer les raisons de son attitude, ce qui vous permettra de mieux comprendre ce qui s'est passé.

Si nous reprenons l'exemple de **Bruno et Nathalie**, la façon la plus efficace de s'exprimer pour Bruno aurait été :

- **Les faits** : « Jean-François et Dolorès viennent dîner demain soir et il y a beaucoup de désordre. »

1. Voir la liste de ses principaux ouvrages page 217.

- **Les conséquences** : « Ils risquent d'avoir une mauvaise image de nous... »
- **Ce qu'il ressent** : « ... et ça me met très mal à l'aise ! »

Grâce à ce type de message, les choses seront beaucoup plus claires. Ce qui était sous-entendu devient explicite. La réponse naturelle de Nathalie pourra être : « Tu as raison, il faut vraiment qu'on range. Moi non plus je n'ai pas envie qu'ils trouvent l'appartement moche. En revanche, ce qui compte pour moi, c'est qu'on le fasse ensemble et que tu ne me bouscules pas, même si je vais lentement. » Ce à quoi Bruno pourra répondre : « OK ! Je mets un disque et on s'y met ? »

Avant d'exprimer un « message-je » important, il est utile de rassurer votre interlocuteur : « Ce que je vais te dire n'a pas pour but de te remettre en cause. Je t'apprécie beaucoup comme ami (frère, fils, fille, mari, cousin...), et je tiens néanmoins à te dire que... » Il s'agit de faire la distinction entre les agissements de la personne et qui elle est. Nous ne sommes pas nos comportements, nous pouvons les modifier. Si je demande à quelqu'un de modifier son comportement, il est important que je lui fasse comprendre que cela ne remet pas en cause les liens d'amitié, d'affection ou d'estime que je lui porte. C'est sur cette base que nous allons pouvoir faire monter notre niveau d'affirmation.

Soyez conscient que votre interlocuteur perçoit intuitivement beaucoup plus de choses que ce qui est dit par vos mots. Votre ton, vos intonations, votre attitude parlent pour vous. Soignez la forme avec laquelle vous dites les choses, et la qualité de vos relations s'améliorera rapidement et de façon visible, sans transiger sur le fond.

Pour exprimer clairement votre besoin...

Profitez de toutes les situations où les choses ne se déroulent pas comme vous le souhaiteriez pour vous entraîner à construire des messages-je. Par exemple, dans votre vie professionnelle aussi bien qu'avec vos amis, votre famille et dans toutes les situations quotidiennes (commerçants, restaurants, moyens de transport, administration, situations professionnelles quotidiennes, etc.).

Exemples de « messages-je »

Les faits	Les conséquences	Le ressenti
« Je n'ai pas été prévenu que mon rendez-vous avait été annulé…	j'ai perdu une heure pour m'y rendre…	je suis vraiment furieux ».
« Si je n'obtiens pas ce papier dans les délais…	mes frais médicaux ne seront plus couverts…	et cela m'inquiète ».
« Ton intervention lors de la réunion de famille a été très efficace…	elle nous a permis d'éviter un conflit stupide…	je t'en suis vraiment reconnaissant ».
« Cela fait trois jours que je te demande de ranger ta chambre…	ton linge sale et la poussière s'accumulent…	je suis découragé ».

L'un des intérêts du « message-je » réside dans sa forme structurée. Au départ, elle apparaît un peu artificielle, mais elle constitue un mode d'emploi. Il nous suffit de suivre la trame en l'adaptant.

Dans un premier temps, vous serez sans doute maladroit dans la formulation de votre message ; exactement comme dans toute autre activité physique, artistique, culturelle, quand nous changeons une habitude. Mais, avec un peu d'entraînement, vous trouverez vos propres tournures, et vos interlocuteurs apprécieront la façon nouvelle avec laquelle vous exprimez les choses. Ils la trouveront plus précise et agréable.

Du « message-tu » au « message-je »

Le « message-je » est l'inverse du « message-tu », qui accuse et met en cause.

Comme vous pourrez le vérifier, le ressenti de votre interlocuteur changera du tout au tout selon que votre message sera exprimé sous forme de « message-je » ou de « message-tu ».

Regardez ce que vous ressentez vous-même dans l'un ou l'autre cas ! Qu'éprouvez-vous lorsqu'on vous dit : « J'en ai marre de tes conneries ! » ? Qu'éprouvez-vous, en revanche, quand on vous dit : « Je me suis senti mal à l'aise toute la soirée car je savais que tu n'avais pas tes clés et que tu étais à la porte. » ?

Vraisemblablement, dans le premier cas, vous n'aurez qu'une envie : répondre de façon agressive, vous venger, vous tasser dans un coin, sortir le plus vite possible de la pièce, en fonction de votre état de défense préféré. Dans la deuxième version, au contraire, vous aurez probablement envie de comprendre et d'expliquer ce qui s'est passé, puis de chercher à modifier votre comportement.

> Ne rêvons pas, les « messages-je » n'entraînent pas l'adhésion systématique de notre interlocuteur. Mais ils permettent d'avancer dans la compréhension et le déblocage de la situation.

La principale différence entre un « message-tu » et un « message-je » est la suivante : dans le premier cas, nous parlons de la personne (« Tu as fait... Tu n'as pas fait... »), dans le second cas, nous parlons de la chose qui a été faite ou pas faite. C'est la raison pour laquelle, dans la première situation, la personne se sent attaquée alors que dans la seconde, c'est au problème que l'on s'attaque.

À vous de jouer

Lorsqu'on a passé une partie de sa vie à faire des allers-retours entre « ne pas dire les choses » et « les dire de manière foisonnante ou cassante » ce n'est pas facile de se lancer du jour au lendemain dans l'expression d'un « message-je » qui tienne la route.

Entraînez-vous à le pratiquer dans des situations où l'enjeu est faible. Vous pourrez vous attaquer par la suite à des situations plus importantes.

N'hésitez pas à utiliser le « message-je » avec les commerçants, avec vos voisins, vos collègues... Demandez-leur progressivement des choses que vous n'avez jamais osé leur demander, en commençant par des choses sans grande importance et en augmentant peu à peu votre niveau d'exigence. Puis entraînez-vous avec votre conjoint, vos enfants, vos amis... Et enfin, avec votre patron, vos clients...

Vous serez surpris des résultats que vous obtiendrez et des changements dans vos relations.

Cuisson du steak et « message-je »

Vous pouvez, par exemple, vous entraîner au restaurant : vous avez demandé un steak à point, et on vous le sert saignant. Appelez le serveur. Dites-lui tranquillement votre besoin : « J'avais commandé un steak à point, vous me l'avez servi saignant. Je ne l'aime pas comme ça. J'aimerais que vous me le fassiez cuire plus. » Écoutez-le s'expliquer. Si jamais il résiste, réexprimez votre besoin. Et ainsi de suite, jusqu'à ce que vous ayez trouvé une solution qui vous satisfasse réellement et qui lui convienne. Soyez le plus ferme possible sur votre objectif, surtout si vous avez tendance à réagir par la fuite ou le repli. N'hésitez pas à imiter, sans les caricaturer, vos amis collègues et relations qui ont beaucoup de lutte et qui sont très fermes sur leurs demandes.

L'exercice sera encore plus difficile si le steak est trop cuit et qu'il faut le changer. Pour ceux qui ont peu de lutte, il faudra se forcer et oser ; pour ceux qui en ont beaucoup, gardez un ton calme et patient, quelles que soient les résistances !

Cependant, même lorsque nous exprimons nos messages et nos demandes sous forme de « message-je », notre interlocuteur peut se sentir remis en cause. Le simple énoncé des faits suffit parfois à déclencher une réaction de défense.

Pour gérer cette difficulté, Thomas Gordon a mis en évidence la technique du « changement de vitesse » : il s'agit d'alterner messages d'affirmation et messages d'écoute.

Alternons affirmation et écoute

« Si la nature t'a donné une bouche et deux oreilles, c'est pour que tu écoutes deux fois plus que tu ne parles. »

Proverbe chinois

Quand nous formulons une demande, le processus le plus efficace pour obtenir une réponse satisfaisante (évolution du comportement, engagement, réponse claire sur les délais...) est le suivant :

- exprimer notre insatisfaction sous forme d'un « message-je » ;
- laisser notre interlocuteur se justifier et défendre son point de vue ;
- écouter et reformuler deux ou trois fois de suite ;
- réexprimer notre message et préciser nos besoins, nos attentes, notre demande ;
- le laisser à nouveau nous faire part de ses raisons, justifications et commentaires ;
- reformuler ses attentes et les nôtres ;
- chercher ensemble une solution qui nous satisfasse tous les deux.

En général, et contrairement à ce que l'on pourrait penser, ces échanges ne durent pas très longtemps. Ce dont nous avons besoin : nous sentir entendus. Tant que nous avons l'impression de ne pas l'être, nos crocodiles ne seront pas satisfaits et ils continueront à insister, argumenter, se bloquer. Et la conversation durera. Au contraire, dès que les deux interlocuteurs se sentent entendus, ils n'ont qu'une envie : trouver une solution et passer à autre chose.

Restez toujours vigilants à la température émotionnelle. Quand elle monte, elle réduit la capacité d'écoute. C'est vrai pour notre interlocuteur comme pour nous. L'attitude efficace, quel que soit le contexte, consiste à prendre la responsabilité de ce qui va se passer dans l'entretien. Vous aurez beaucoup plus de chances d'obtenir satisfaction si vous prenez en compte les réactions émotionnelles de votre interlocuteur.

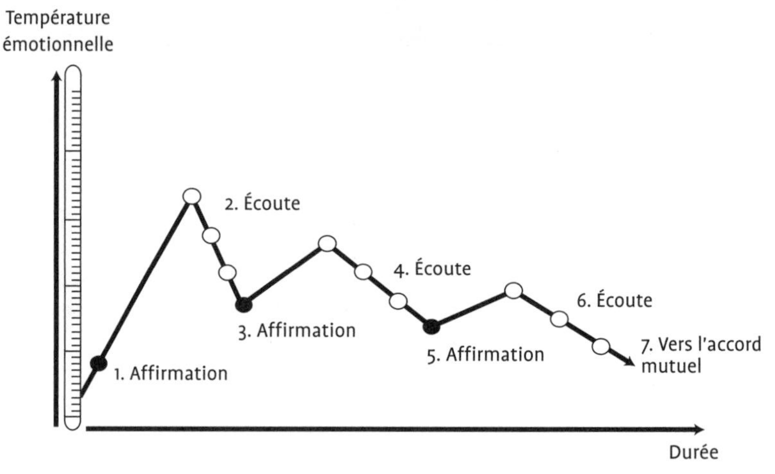

M'affirmer et écouter l'autre pour mieux me faire entendre

1. J'exprime mon insatisfaction par un « message-je ».
2. J'écoute mon interlocuteur, je cherche à comprendre les raisons qui l'ont conduit à agir de cette manière, en formulant deux à trois messages d'écoute.
3. J'exprime clairement mon besoin, mon attente, au moyen d'un « message-je » complété par une demande.
4. J'écoute les arguments de mon interlocuteur (deux ou trois messages d'écoute).
5. Je précise une nouvelle fois mes attentes et mes besoins.
6. Je lui laisse préciser les siens et je les reformule.
7. Je lui propose de chercher ensemble une solution qui nous satisfasse tous les deux.

Quand la température émotionnelle monte, il est toujours difficile d'écouter l'autre... Et pourtant c'est encore plus nécessaire !

Le changement de vitesse véhicule deux messages forts :

- **notre intention d'écouter l'autre** et de découvrir la logique de son attitude ;
- **notre volonté d'obtenir des résultats sans imposer** notre volonté de faire les choses ensemble plutôt que d'œuvrer l'un contre l'autre.

Les miracles de l'écoute !

Efforcez-vous de toujours faire deux à trois fois plus de messages d'écoute que de messages d'affirmation. C'est-à-dire écoutez deux fois plus que vous ne parlez.

Plus vous aurez permis à votre interlocuteur de s'exprimer, plus vous allez créer le besoin chez lui de savoir ce que vous pensez.

Faites-en un exercice quand les enjeux sont faibles ; jouez le jeu, identifiez les réactions des uns et des autres — ceux qui ont envie de connaître votre point de vue et ceux qui, au contraire, ont tendance à monopoliser la parole. De toute façon, votre interlocuteur sait en général de quoi vous voulez lui parler, avant même que vous ayez ouvert la bouche !

Il n'est pas question, pour autant, de le laisser s'expliquer pendant des heures. Il s'agit au contraire de garder un rythme dans les allers et retours : deux à trois messages d'écoute pour un message d'affirmation.

Pour obtenir un changement d'opinion ou de comportement, il est beaucoup plus efficace de reformuler ce que la personne est en train de nous dire que d'argumenter, passer en force ou se taire.

L'écoute, notre meilleure alliée

« Pour bien connaître quelqu'un, il faut avoir marché dans ses mocassins pendant trois jours. »

Proverbe amérindien

Comment faire pour écouter sans se laisser déborder, agresser, endormir ?

Différentes techniques d'écoute ont été identifiées, répertoriées et formalisées au cours des dernières années. L'une des principales clés de réussite consiste à s'entraîner à les mettre en pratique, régulièrement.

Voilà quelques propositions ; à vous de les tester et de choisir celles qui vous conviennent le mieux :

- **la première technique consiste à passer la parole à votre interlocuteur**, en vous taisant ou en utilisant une phrase du type : « Qu'en penses-tu ? J'aimerais bien avoir ton point de vue. » Si vous venez de lui faire part de votre insatisfaction sous forme d'un « message-je », n'ayez crainte : il va s'exprimer ! Un « message-je » déclenche presque toujours un flot d'explications ;
- si votre interlocuteur reste coi, en particulier s'il s'agit d'une réaction de repli, aidez-le **en formulant les résistances que vous percevez** : « J'ai l'impression que quelque chose ne te convient pas (te met mal à l'aise) dans ce que je viens de te dire. » ;
- pour montrer que vous êtes en empathie avec lui et être sûr d'avoir bien compris, **vous pouvez reformuler ce que vous avez entendu** : « En somme, tu n'es pas content parce que tu as l'impression que je t'en demande un peu plus tous les jours. » Cela permet à la personne de continuer à dérouler ses explications et commentaires ;
- **vous pouvez exprimer son ressenti**, à partir de ce qu'il vous a dit, de ce que vous voyez et de ce que vous souffle votre intuition : « Tu es agacé (perturbé, abattu, déprimé) par ce qui vient de se produire. » N'ayez pas peur de vous tromper : votre interlocuteur rectifiera de lui-même et précisera ce qu'il ressent : « Non, je ne suis pas énervé, je suis inquiet ! » ;
- **vous pouvez utiliser l'écoute empathique** par des expressions telles que : « Je comprends... Je vois... Oui... », accompagnées de hochements de tête ;
- **une question très utile** : « Qu'est-ce qui t'a gêné (freiné, manqué) pour faire ce que tu devais faire ? » Elle est très facile à poser et met celui qui la pose dans une attitude naturelle d'écoute par rapport à son interlocuteur ;
- **et, surtout, écoutez vraiment ce que votre interlocuteur dit**. Très souvent, vous vous apercevrez que vous passez beaucoup plus de temps à écouter ce que vous vous dites à vous-même que ce qu'il vous dit, lui.

Regarde-toi quand tu écoutes

Soyez vigilant à votre posture et à votre ton. Les mots utilisés ne représentent que 10 % des informations transmises ! Le ton compte particulièrement : souvent, il envoie des messages différents de celui que nous exprimons avec les mots. Si nous employons un ton agacé, notre interlocuteur va répondre davantage à cet agacement qu'à notre question. Cela nous semble évident quand nous sommes dans la position du récepteur. Nous n'arrivons pas toujours à en prendre conscience quand nous sommes dans celle de l'émetteur. Dans la pratique, cela signifie juste de porter attention, pendant quelques secondes, au ton que vous êtes en train d'employer et à l'attitude que vous avez. Cette prise de conscience suffit pour les modifier dans le bon sens.

Prenez conscience du fonctionnement quasi permanent de votre « radio mentale », cette petite voix qui passe son temps à nous dire : « C'est la troisième fois qu'il me répète la même chose... Qu'est-ce qu'il mijote ? Quand même il exagère, Martin m'a dit le contraire hier ! Mais où veut-il en venir ? Je n'aurais pas dû lui en parler ! »

Autre piège de notre radio mentale : préparer le coup suivant au lieu d'écouter notre interlocuteur. Observons-nous en train de fourbir nos arguments ou de nous rappeler l'article de presse que nous avons lu sur le sujet il y a trois jours. C'est presque drôle !

Pour changer cette très vieille habitude, concentrez-vous sur votre interlocuteur. Quels mots utilise-t-il, quel ressenti exprime-t-il à travers ses mots, son ton et ses attitudes ? Il ne s'agit pas d'arrêter complètement notre radio, mais de la mettre en veilleuse et de laisser suffisamment de place à notre interlocuteur.

Mettons le turbo dans notre écoute : « l'écoute active »

Si votre conjoint, un collègue, ou un proche vient vous voir un jour en vous disant : « J'en ai assez, c'est toujours moi qui règle les problèmes dans cette équipe/famille ! », les réponses classiques — argumenter, rassurer, s'énerver... — ont de fortes chances de vous faire perdre beaucoup de temps et d'énergie. Éluder le problème, brasser de l'air ou monter les difficultés en épingle, cela ne règle rien !

> L'écoute active[1] consiste à se mettre en retrait par rapport au contenu de ce qui vient d'être dit, en reformulant le ressenti de notre interlocuteur.

Ainsi, répondre sous forme d'écoute active donnera une réponse du type : « Tu es vraiment agacé par ce qui arrive, par mes paroles »

Rappelons-nous certaines de ces phrases qui ont le don de nous projeter automatiquement dans nos réactions habituelles de défense et essayons d'imaginer de nouvelles réponses :

- « Dis tout de suite que ce que je faisais avant n'était pas bien... » Réponse habituelle : « Arrête de prendre la mouche pour un rien ! » ou encore : « Mais non, laisse tomber, je disais ça pour rire ! »

  Une réponse envisageable : « Tu es vexé par ce que je t'ai dit, tu te sens dévalorisé. »

- « ... ! » Silence dubitatif... Réponse habituelle : « Quand même, tu pourrais prendre la peine de répondre ! Tu as perdu ta langue ? »

  Autre réponse possible : « Tu es sceptique, tu as l'impression que ça ne marchera pas. »

- « Tous les deux mois, il faut se serrer la ceinture pour éponger le découvert sur notre compte en banque, alors ne compte pas sur mon enthousiasme ! »

1. Nous employons cette expression au sens original du terme, celui que lui a donné son initiateur, Carl Rogers.

Réponse habituelle : « Comment peux-tu dire une chose pareille ! Avec tout le mal que je me donne ! »

Autre réponse : « Ça te décourage qu'on doive encore faire attention ce mois-ci... »

- « En plus, on n'a même pas fait cette sortie tous les deux que tu m'avais promise. » Réponse habituelle : « On ne va pas revenir sur ce sujet, je t'ai déjà dit que cette sortie était toujours prévue, mais que j'avais eu trop de travail pour pouvoir m'en occuper jusqu'à présent ! »

  Autre réponse : « Tu es déçu. »

Comment ça marche ? Quand nous reformulons le ressenti de notre interlocuteur, nous faisons un pas dans sa direction. C'est comme si nous lui disions : « OK, j'ai bien compris, quelque chose ne te plaît pas. » À partir du moment où il se sent, pris en considération, lui-même peut s'accepter et prendre conscience du message de son crocodile.

La pression diminue, les défenses se relâchent, son cerveau peut s'ouvrir à ce que nous lui disons.

L'écoute active présente l'intérêt d'aller dans le sens de l'autre, sans toutefois lui donner notre accord sur le fond. Le message qui passe est : « J'accepte et prends en compte ton ressenti. » Ce n'est pas facile car notre tendance naturelle nous pousse plutôt à dire : « Allez, ce n'est pas si grave. N'aie pas peur... Tu n'as pas de raison de t'énerver pour si peu... » Ou encore : « Arrête de pleurnicher, ça n'en vaut pas la peine ! » Ce genre de phrases heurtent au plus haut point nos crocodiles !

Le miracle de l'écoute active consiste à désamorcer l'émotion. L'émotion est la conséquence d'un besoin mal exprimé ou mal entendu par la personne elle-même et par son interlocuteur. Si le crocodile ne parvient pas à se faire entendre, il s'exprime autrement. Il polluera l'esprit de votre interlocuteur, le vôtre et la qualité de vos relations.

Écouter activement, c'est aider la personne en face de vous à mettre de l'ordre dans ses émotions et à comprendre ce qui la freine, la gêne, lui manque.

Si vous visez juste ou si vous permettez à votre interlocuteur d'exprimer lui-même ce ressenti, la température émotionnelle reviendra rapidement à son niveau normal. Votre interlocuteur pourra, par ce processus, prendre conscience de ce qui le préoccupe consciemment et inconsciemment.

Qu'est-ce que j'y gagne, moi ?

Une question que nous pouvons nous poser face à cette approche, c'est : « Est-ce vraiment utile et efficace d'écouter ? Qu'est-ce que je vais y gagner ? Je suis déjà débordé par tout ce que j'ai à faire, si, par-dessus le marché je dois passer du temps à écouter ceux qui ont des problèmes ou des difficultés, vais-je être capable de m'en sortir ? »

L'objectif de l'écoute consiste à identifier les éléments qui sont à l'origine du blocage. Utiliser des techniques d'écoute permet d'obtenir en peu de temps la résolution de problèmes qui, de toute façon, seraient beaucoup plus coûteux en énergie, en argent et en temps si nous les laissions se développer.

Avez-vous besoin d'huile pour faire marcher votre voiture ? Si vous n'avez que peu de kilomètres à rouler avec elle, et que vous pouvez ensuite vous en débarrasser, peu importe, vous pouvez faire toutes les économies que vous voulez ! En revanche, si vous prévoyez de compter sur elle pendant longtemps, il est préférable de consacrer du temps et de l'argent pour l'entretenir.

Il en va de même pour vos relations : si vous souhaitez les faire durer, il est indispensable d'en prendre soin.

Écouter l'autre, ce n'est pas lui donner raison : c'est le meilleur moyen d'obtenir ensemble ce que nous voulons obtenir. Et, qui plus est, sans le faire perdre, sans l'humilier, sans lui donner tort, c'est-à-dire sans risquer de le payer cher par la suite.

Il n'y a pas de comportement aberrant

« Je n'aime pas le mot tolérance mais je n'en ai pas trouvé de meilleur »

GANDHI

Ce qui nous gêne dans un dérapage ou une bourde commis par l'un de nos proches, ce n'est pas l'événement en lui-même, surtout si c'est la première fois qu'il se produit – dans ce cas nous sommes généralement prêt à lui pardonner.

Ce n'est pas l'erreur elle-même qui nous gêne, mais son aspect répétitif.

Nous avons parfois l'impression de ne pas naviguer sur la même mer que ceux qui nous entourent. Leurs comportements nous paraissent tellement illogiques ! Rassurons-nous : ils pensent la même chose à notre sujet.

Pour une personne manifestant en général des comportements de lutte, l'angoisse et l'agitation d'une personne en fuite peuvent paraître aberrantes. Pour une personne dont le mode de fonctionnement est le repli, l'agressivité d'une personne en lutte peut paraître incohérente et stupide. Pour une personne utilisant beaucoup la fuite, la lenteur d'une personne ayant des réactions de repli peut être ressentie comme pénible, quand aux réactions de lutte, elles l'angoissent profondément.

Et pourtant... Derrière tout comportement se cache une logique, un besoin, une croyance. Nous sommes des « animaux sociaux », nous appartenons à des groupes dont nous avons besoin. Agir en contradiction avec les règles du groupe est inconfortable et parfois dangereux. Pour le faire, il faut avoir des raisons fortes ! Plus le comportement est aberrant, plus la croyance et le besoin dont il est le fruit sont impérieux. Et c'est cette logique qui nous intéresse : si nous connaissons les freins et les moteurs de notre interlocuteur, il sera plus facile de comprendre où il veut en venir et de lui faire comprendre ce que nous souhaitons obtenir.

L'objectif de l'écoute consiste à remonter du comportement observable à la croyance ou aux besoins qui se cachent derrière.

La chaîne cognitive[1]

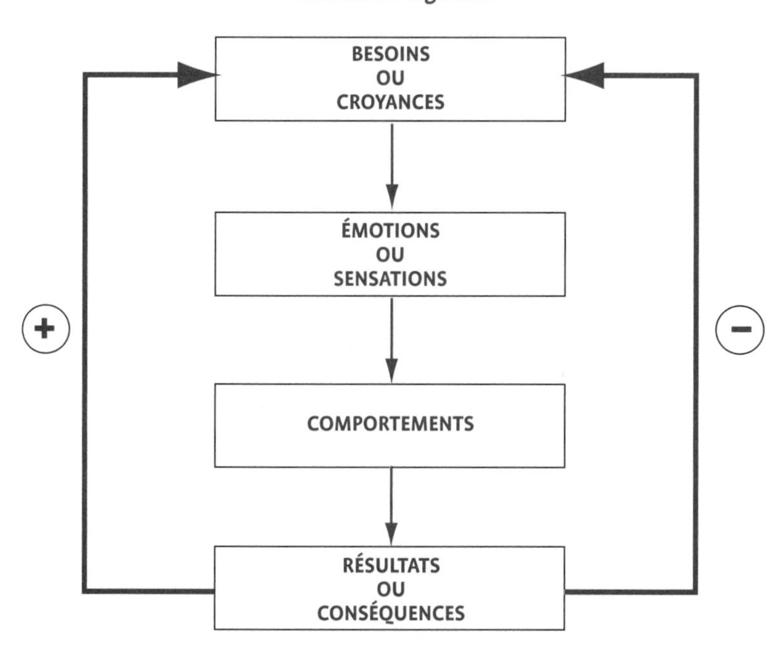

Il est plus efficace d'intervenir sur la cause plutôt que sur l'effet. Au lieu de reprocher à votre interlocuteur un comportement qui vous gêne, cherchez à comprendre quel est le besoin ou la conviction à l'origine de ce comportement.

Pour obtenir une modification de comportement de la part de l'un de vos enfants faisant preuve de distraction en classe, essayez de remonter aux doutes et aux craintes qui l'empêchent d'être attentif. D'où vient son manque

1. L'un des principes de base des thérapies comportementales-cognitives : nos besoins et nos croyances génèrent des émotions ou des sensations qui suscitent des comportements qui entraînent eux-mêmes des résultats et des conséquences, renforçant ainsi nos croyances ou les atténuant.

de confiance ? Votre enfant comprend-il le cours du professeur ? A-t-il peur de ses réactions ou des vôtres s'il ne réussit pas assez bien à l'école ? Ne met-il pas la barre trop haut ? Quelles paroles lui donneront envie d'évoluer ?

> Pourquoi devrions-nous écouter notre interlocuteur alors qu'il refuse d'obtempérer à ce que nous lui demandons et qu'il n'accepte pas de nous écouter ?
> Parce que si nous voulons qu'il change de comportement, nous devons l'aider à modifier la logique, le besoin ou la croyance à l'origine de ce comportement.

Concrètement, il s'agit d'adopter et de favoriser autour de nous des attitudes d'écoute et de prise en considération des besoins de chacun. Ces attitudes, nous pouvons facilement les acquérir à condition de le vouloir réellement. En voici quelques-unes, parmi les plus efficaces :

- dans chaque discussion, dès que la tension monte, **écouter et revenir au concret** ;
- **être à l'affût des points de vue différents du nôtre**, des gens que nous connaissons depuis peu, de ceux qui ont des attitudes d'opposants ou de rebelles...
- **ne pas hésiter à poser trois questions simples** pour permettre à nos interlocuteurs de s'exprimer : « Qu'est-ce qui va bien... moins bien ? Quelles sont tes idées, tes suggestions, tes pistes de solution ? » Ou encore : « Qu'est-ce qui te gêne, te freine, te manque ? » Elles sont faciles à poser et complètement naturelles.

Il y a toujours une raison pour ne pas écouter

Comment faisons-nous pour rester aussi sourds aux besoins et aux demandes de notre entourage ? Pourquoi agissons-nous sans les prévenir ni leur demander leur avis, mais en suivant notre propre perception de ce qui est bon pour eux ? « Je fais ça pour ton bien ! »

Adèle, 18 mois, n'aime pas que **Sylvie**, *sa mère, se mette à ses fourneaux à peine rentrées de la crèche. Elle voudrait jouer avec elle : elles ne se sont pas vues de la journée ! Tandis que Sylvie s'affaire, Adèle se colle derrière elle, tire sur son tablier, pleure, demande à être prise dans les bras... : « Oui mon cœur, on va jouer, mais dans cinq minutes, tu vois bien que maintenant je suis occupée... » Et la petite fille pleure de plus belle, la jeune femme finit par s'énerver et, quand son mari rentre (enfin !) du bureau, elle lui colle l'enfant dans les bras : « Tu aurais pu rentrer plus tôt, regarde la comédie que je subis depuis deux heures. » La soirée est bien compromise !*

Pourquoi **Sylvie** ne s'est-elle pas arrêtée pour passer un moment avec sa fille avant de reprendre ses activités ? S'était-elle fixé d'autres objectifs (faire une soupe, un gâteau) ? Avait-elle peur d'être débordée, peur que la petite fille ne se contente pas d'un court moment ? Elle n'a pas confiance en sa capacité à mettre des limites, elle a peur de s'éparpiller et de ne pas tenir son planning. Alors qu'elle voulait bien faire, la soirée est partie de travers !

Le frein le plus fréquent à l'écoute, c'est la peur de perdre du temps : « Combien de temps vais-je *encore* devoir y passer ? » Le temps à consacrer paraît important, le temps gagné et les conséquences positives sont moins visibles.

Beaucoup d'entre nous préfèrent ne pas ouvrir la porte parce qu'ils ne savent pas comment la refermer...

C'est bien plus facile de ne pas écouter ! À court terme, cela permet de gagner du temps. À moyen terme, en revanche, il va falloir réparer les pots cassés, les erreurs, l'inertie ou l'opposition liées à l'absence de dialogue.

Repartons sur de nouvelles bases

« De l'audace, encore de l'audace, toujours de l'audace. »

Maréchal Ney

Dire les choses clairement et respectueusement exige une bonne dose de courage.

Cela demande de sortir de ses habitudes, de faire des choses qu'on n'avait jamais osé faire. Pour y parvenir, vous aurez sans doute besoin de prendre quelques instants de concentration et de préparation avant tout entretien.

Mais dès que vous saurez utiliser l'alternance affirmation/écoute, et même si vous n'êtes pas encore champion en la matière, vous vous apercevrez que des discussions fermes et fortes sont souvent plus satisfaisantes que les autres. Vous irez plus rapidement au cœur de la problématique et il vous sera plus facile de trouver des solutions efficaces et de les mettre en œuvre.

Au final, la relation n'est plus bancale, les incompréhensions ont été nettoyées – et nous savons à quel point la dégénérescence progressive des rapports entre deux personnes peut coûter cher. Le problème ne pollue plus intellectuellement ni notre interlocuteur, ni nous-même. Notre niveau de stress est bien inférieur à ce qu'il était auparavant et nous pouvons nous consacrer à autre chose.

Deux éléments sont néanmoins indispensables pour obtenir des résultats efficaces :

- **l'intention dans laquelle vous êtes au moment d'aborder votre interlocuteur.** Si vous êtes dominé par vos réactions de défense, la personne en face de vous le percevra immédiatement ; les mots que vous utiliserez auront peu de portée. Si, au contraire, votre intention est positive et que vous savez calmer votre crocodile, vos mots auront un impact déterminant ;
- **la volonté de chercher une solution satisfaisante pour vous et pour votre interlocuteur.** Si vous abordez la situation en ayant envie de vous venger ou de sortir vainqueur de l'opération, vous vous situez dans une zone de confrontation qui débouchera automatiquement sur des réflexes de défense, avec toutes les conséquences que nous connaissons.

Construisons des solutions sans perdant

Cet état d'esprit positif est au cœur de toutes les techniques présentées dans ce livre. Pour le dire autrement, nous vous recommandons d'adopter une attitude, qui soit le fruit d'un choix réfléchi et autonome, y compris dans les situations de forte tension : « Quelles que soient les circonstances, je cherche une solution qui soit pleinement satisfaisante pour moi et pour lui. Je refuse de tomber dans les ornières habituelles : je gagne, tu perds ou tu gagnes et je perds. »

De la confrontation de solutions à l'identification des besoins : le chemin à parcourir.

Jeanne et Pierre, un jeune couple parisien, possèdent une voiture. Jeanne souhaite disposer de la voiture le lendemain matin pour se rendre à un rendez-vous important. Pierre avait, lui aussi, prévu de l'utiliser ce jour-là.

« Tu la prends tous les jours, tu pourrais bien me la laisser ! Pour une fois que je le demande...

– Si je l'utilise tous les jours, c'est bien parce que les transports en commun me feraient perdre un temps considérable ! En plus, demain, j'ai un rendez-vous moi aussi. »

La confrontation de solutions opposées peut rapidement tourner en une confrontation de personnes.

Comme nous le faisons habituellement, nos protagonistes se focalisent sur le fait de récupérer la voiture, alors que la question, pour l'un comme pour l'autre, est de savoir : « Comment me rendre là où j'ai besoin d'aller ? »

Il s'agit, en fait, de trouver la solution la plus astucieuse pour résoudre leurs problèmes de transports.

S'ils se concentrent sur leur besoins préci, « J'ai besoin d'aller de tel endroit à tel endroit, à telle heure », il sera plus facile de trouver une

> solution qui satisfasse les deux. L'un pourra prendre la voiture le matin et l'autre l'après-midi ou l'un peut déposer l'autre le matin et venir le récupérer plus tard, etc. Envisagé sous cette forme, le problème devient soluble, et même stimulant, une sorte de jeu.

Dans une négociation, la première chose à se demander, c'est si les échanges que nous sommes en train d'avoir constituent l'enjeu réel de la discussion. Bien souvent, ce n'est pas le cas. Nous avons quitté le registre des faits pour passer dans celui des réactions émotionnelles. Ce qui importe, c'est de revenir aux vrais besoins de chacun.

> La technique du changement de vitesse permet cela : les messages d'affirmation font connaître nos besoins à notre interlocuteur ; les messages d'écoute mettent en évidence ses besoins à lui. Quand nous sommes parvenus à identifier ses besoins, quand nous avons pu exprimer clairement les nôtres, nous pouvons chercher à construire une solution qui nous satisfasse tous les deux.

Les principes pour construire une solution qui convienne aux deux parties sont simples. Comme d'habitude, c'est leur application et leur mise en œuvre qui exigent persévérance et ténacité.

Pour mettre au point de telles solutions, nous vous recommandons de suivre une démarche en quatre étapes :

- **reformulation.** Reformulez clairement les besoins, les attentes et les contraintes de votre interlocuteur et les vôtres. Demandez-lui s'il est d'accord sur cette formulation ;
- **remue-méninges (ou brainstorming).** Autorisez-vous et autorisez-le à émettre toutes sortes de solutions. Ne négligez aucune hypothèse, même celles qui semblent s'éloigner du problème initial. Les solutions farfelues ont toujours une raison d'être. Ce sont ces solutions hors cadres qui, même si elles ne sont pas applicables telles quelles, peuvent vous mettre sur une piste innovante. Dans un premier temps, ne jugez pas, n'évaluez pas leur réalisme ni leur coût. Contentez-vous de recenser toutes les solutions possibles ;

- **évaluation.** Évaluez les différentes solutions. Qu'y a-t-il d'intéressant dans chacune ? Quelles sont celles qui semblent convenir le mieux ? Soyez vigilants à ne faire cette évaluation que dans un deuxième temps, après avoir respecté votre temps de « remue-méninges » et passé quelques minutes à imaginer des solutions fantaisistes. Ce sont souvent dans les dernières minutes d'un brainstorming que sortent les solutions les plus innovantes ;
- **construction.** Construisez avec votre interlocuteur la solution qui vous convient le mieux à tous les deux.

NB : les meilleures solutions sont généralement le fruit du rapprochement de plusieurs. Leur principal intérêt : elles n'appartiennent ni à l'un ni à l'autre, elles sont le fruit du travail commun.

Revenons à l'exemple de Jeanne et Pierre :

« Pour résumer : tu as besoin de la voiture entre 11 heures et 13 heures, moi j'en ai besoin pour aller à un rendez-vous tôt le matin. Quelles seraient les différentes possibilités que tu envisages ?...Tu pars avec moi le matin, tu emmènes un bon livre et tu restes dans la voiture pendant mon rendez-vous... Je pars avec toi, je te dépose à ton rendez-vous et tu te débrouilles... Tu pars avec moi je te dépose à un endroit qui t'arrange, je te dépose la voiture après mon rendez-vous... Prenons un chauffeur qui s'occupe de nous toute la journée... Tu peux décaler ton rendez-vous...

– Ou toi le tien... Prenons tous les deux une journée de RTT et partons à la mer... Et si nous nous retrouvions à une station de RER après ton rendez-vous... ?

– Bon alors finalement, qu'est-ce qu'on décide ?

– Je pense que la meilleure solution serait que nous nous retrouvions après mon rendez-vous pour que tu récupères la voiture. Il y a une station de RER facilement accessible pour toi.

– Cela me convient tout à fait ; je pourrais venir te chercher à la sortie du bureau et t'emmener au restaurant. »

Dès que le problème est un peu complexe, nous vous recommandons d'utiliser un support écrit – feuille, tableau blanc –, partagé en deux colonnes pour noter d'un côté vos besoins et vos contraintes et de l'autre les besoins et contraintes de votre interlocuteur. L'effet psychologique est très positif : vous montrez, en écrivant, que vous êtes attentif aux besoins de l'autre.

Avantage complémentaire : le fait d'introduire un troisième élément dans la discussion (la feuille de papier ou le tableau) permet de transformer une relation de face-à-face en une relation où vous regardez tous les deux dans la même direction. Vous construisez ensemble la solution.

Solutions durables

Mes besoins, contraintes	Tes besoins, contraintes
–	–
–	–
–	–
Mes solutions, mes idées	**Tes solutions, tes idées**
–	–
–	–
–	–

Notre solution (construite ensemble)

 **À vous de jouer : entraînez-vous à adopter une attitude « sans perdant »**

Saisissez toutes les occasions de la vie quotidienne pour vous entraîner concrètement.

Cela signifie :

- Précisez et reformulez régulièrement vos besoins et ceux de vos interlocuteurs : « Si j'ai bien compris ce dont tu as besoin, c'est... Moi, de mon côté, ce que j'aimerais, c'est... »
- « Amusons-nous à faire un peu de remue-méninges : quelles sont toutes les solutions possibles, même les plus farfelues ? »
- « Quelle solution pouvons-nous construire ensemble ? »

Les deux chevaliers

Inscrivons nos relations dans le long terme

Même si nous nous en défendons, nous arrivons en général dans nos négociations avec l'idée : « Je veux gagner ». Et c'est humain ! Cependant, la plupart de nos difficultés viennent de cette volonté de gagner « sur le dos de l'autre ».

Le paradoxe réside dans cette conviction largement partagée : « Dans toute confrontation, il y a un gagnant et un perdant ». Comme nous ne voulons pas perdre, il faut empêcher l'autre de gagner.

> Est-il judicieux d'imposer notre solution, au mépris de notre partenaire et des conséquences sur notre relation avec lui ?

Si nous sommes des vendeurs à la sauvette destinés à ne jamais revoir les clients auxquels nous vendons notre camelote, peu importe leur insatisfaction. Nous pouvons les rouler puisque nous n'allons pas les revoir. Pour le responsable d'un magasin de quartier, en revanche, l'enjeu est différent. S'il veut fidéliser sa clientèle, il s'efforcera de lui apporter le meilleur service, échangera un petit mot avec chacun, se rappellera les habitudes des uns et des autres.

Nos relations avec notre entourage personnel ou professionnel s'inscrivent dans le moyen ou le long terme. Si nos interlocuteurs se sentent spoliés, combien de temps vont-ils continuer à discuter, travailler, vivre avec nous ? Ne vont-ils pas chercher à sortir de cette relation qui leur « coûte » trop cher par rapport à la satisfaction, au bien-être qu'ils en retirent ? Et si jamais l'un d'eux est obligé de poursuivre sa relation avec nous alors que systématiquement nous gagnons et lui perd, il est probable qu'il cherche à rétablir l'équilibre en sa faveur, même s'il doit pour cela transgresser le contrat effectif ou moral par lequel nous sommes liés.

L'objectif d'une discussion n'est pas d'écraser qui que ce soit, ni de s'aplatir soi-même, mais de faire chacun un bout de chemin vers l'autre pour parvenir à une solution qui nous satisfasse tous les deux et de façon durable. Il ne s'agit pas de marchandage, ni de consensus mou mais d'avoir une discussion qui permette à chacun de défendre ses contraintes et ses besoins. Cela demande souvent du courage mais procure également de grandes satisfactions.

Le loup et l'agneau

Conflits de solutions et conflits de valeurs

« Tout est vrai et faux à la fois : tel est le caractère de la vraie loi. »

BOUDDHA

La plupart des conflits peuvent être ramenés à une confrontation de solutions : j'ai un problème, je trouve une solution et je cherche à l'imposer à mon interlocuteur. De son côté, lui aussi a trouvé une solution et cherche à me l'imposer :

- le risque habituel : la confrontation de ces deux solutions ;
- la voie de sortie préconisée dans cet ouvrage : trouver ensemble une solution qui réponde simultanément à nos deux besoins.

Certains conflits, cependant, n'appartiennent pas à la catégorie des conflits de solutions. Ce sont des conflits de valeurs : certains votent à gauche, d'autres à droite ; certains croient en Dieu, d'autres sont athées ; certains considèrent qu'il est indispensable de respecter certains principes, d'autres que l'efficacité et les résultats sont prioritaires.

Quand nous comprenons qu'il s'agit d'un conflit où des valeurs, des convictions ou des croyances sont en jeu, l'approche est un peu différente. Le changement de vitesse est toujours aussi utile : écoute, mise en évidence des valeurs de notre interlocuteur, reformulation, expression calme de nos valeurs et croyances, écoute, etc.

En revanche, pour terminer la discussion, il ne s'agit plus de chercher une solution commune, car il n'y en a pas – les goûts et les couleurs... L'objectif de ce genre d'échanges consiste uniquement à mieux se comprendre l'un l'autre et à aboutir à une conclusion du type : « Nous sommes d'accord sur le fait que nous n'avons pas le même point de vue. Et néanmoins nous pouvons continuer à nous respecter mutuellement et à construire ensemble ». C'est ce qui se passe tous les jours, dans toutes les entreprises : nous passons notre temps à travailler avec des gens qui n'ont pas les mêmes convictions politiques ou religieuses que nous.

> Dès qu'il s'agit d'un conflit de valeurs, cherchez à exprimer le plus clairement possible ce qui est du registre des valeurs et ce qui est du registre du factuel.

De façon à traiter ces deux registres séparément : « Nous sommes d'accord sur le fait que nos valeurs, nos convictions sont différentes. Maintenant, concernant le dossier de Mme Dunord, je te propose de faire ceci ou cela. Est-ce que l'une de ces solutions te convient ? »

Avant de passer à la suite

Courage ! Il en faut pour s'affirmer tout en tenant compte de l'autre. Pour reformuler ce qu'il ressent, même quand cela ne nous convient pas. Pour dire : « Voilà ce dont j'ai besoin ». Quand notre interlocuteur nous impressionne. Mais quelle satisfaction quand nous en voyons les résultats et que nos relations s'enrichissent et avancent dans un sens constructif !

Chapitre 6

Passer de l'opposition au partenariat

« Il faudrait essayer d'être heureux,
ne serait-ce que pour donner l'exemple. »

Jacques PRÉVERT

Objectif de ce chapitre

Compléter et enrichir nos stratégies de communication, disposer de savoir-faire qui nous permettent de mieux nous adapter à nos interlocuteurs et aux situations.

Vous y trouverez :

- Préparons-nous avant une discussion
- Passons de l'opposition au partenariat
- Cessons de vouloir avoir raison
- Les facettes d'une même réalité
- Les douze risques quand nous communiquons
- Enrichissons nos stratégies de communication
- Six profils complémentaires
- Vivre et communiquer avec les différents profils

Préparons-nous avant une discussion

L'étape la plus importante dans une confrontation est la préparation.

Souvent, avant une discussion importante, nous nous méfions de nos propres réactions et de celles de notre interlocuteur. Cette méfiance génère un renforcement de nos réactions de défense. Le cercle vicieux est enclenché et nous vérifions souvent l'expression célèbre de Jean-Paul Sartre : « L'enfer, c'est les autres. »

***Lydia**, jeune mère de famille, est énervée par le comportement de Josiane, la nourrice de sa fille. Josiane est une nourrice expérimentée, à qui l'enfant semble attachée. Mais elle ne peut pas s'empêcher de faire des remarques à Lydia : « Vous sortez avec un bonnet pareil ? Je n'oserais pas, moi ! Je me demande comment vous feriez avec un deuxième enfant, déjà qu'avec un vous êtes débordée... » Elle remet en question sa capacité de mère et l'envoie paître lorsqu'elle est de mauvaise humeur.*

L'accumulation de ces comportements agressifs ou méprisants commence à miner Lydia. Chaque soir, sur le chemin pour aller récupérer sa fille, elle redoute les confrontations avec Josiane. Après une sortie désagréable, elle décide de lui parler. Non sans appréhension : Josiane va peut-être se moquer ? Tant pis, si cela se passe mal, elle changera de nounou... Allez, courage !

Lydia prépare ses phrases : « Josiane, j'apprécie votre travail et votre dévouement avec ma fille ; pourtant, quand vous tournez en dérision la manière dont je suis habillée ou que vous sous-entendez que je suis une mère incapable, cela me blesse et m'énerve. Je souhaite que vous changiez votre comportement. »

Pendant tout le trajet, Lydia se met en condition : « Josiane et moi avons autant intérêt l'une que l'autre à ce que la relation dure et s'améliore, elle a un bon fond, ça va aller... » Et c'est alors qu'une sorte de miracle se produit : étant claire dans sa tête, Lydia adopte naturellement un comportement plus affirmé.

Depuis le départ, elle s'était sentie dominée par Josiane (différences d'âge et d'expérience, pénurie de nounous dans sa ville...) ; et ce jour-là, elle parvient, de façon naturelle, à se caler dans son attitude de mère. Toutes les deux le sentent instinctivement, quelque chose a changé. Ce jour-là, Josiane ne fait pas de remarque. Et Lydia n'a pas besoin de faire de mise au point. Quelques échanges non verbaux ont suffi, de part et d'autre, pour que l'équilibre soit restauré.

Josiane, d'elle-même, arrêtera ses réflexions désobligeantes. Les rares fois où elle sera de nouveau un peu trop « rentre-dedans » et qu'elle mettra en doute les capacités de mère de Lydia, la jeune femme lui dira : « Josiane, la maman c'est moi... » Josiane se renfrognera un peu mais, au fond, elle sera rassurée. Voilà l'attitude ferme qu'elle attend d'une mère.

Comment se préparer à une confrontation que l'on redoute ?

- **tout d'abord, prendre soin de nos propres émotions.** En préparant notre message, en cherchant à obtenir des résultats et à préserver notre bien-être et notre sécurité, nous allons calmer notre crocodile : il réduira la pression.

  Nous avons vu précédemment l'intérêt d'utiliser une image « totem », une image évocatrice qui parle à notre crocodile des qualités dont nous voulons nous imprégner pour aborder la situation à venir. Nous pouvons également utiliser les techniques d'ancrage pour revivre les émotions positives dont nous avons besoin. Toutes ces techniques nous aident à nous détendre, à renforcer nos qualités d'écoute et à nous affirmer ;
- **préparer notre message.** Que voulons-nous obtenir ? Quels mots utiliser pour l'exprimer, compte tenu de la personnalité de notre interlocuteur ? La structure du « message-je » va nous aider à exprimer notre insatisfaction, tout en restant centré sur les faits. Il conviendra également d'être le plus clair possible sur nos besoins et sur nos demandes. Plus notre demande sera claire dans notre esprit, plus nous aurons de chance d'obtenir satisfaction. Noter sur une feuille, ce que nous voulons obtenir à la fin de l'entretien, est très utile, tout en acceptant que la solution trouvée soit différente ;

- **penser à notre interlocuteur dans des termes positifs.** Nous avons tendance à nous dire : « Celui-là, je le connais, je vais avoir du mal à faire passer mon message ! » Si nous abordons l'entretien en diabolisant notre interlocuteur, les obstacles risquent d'être nombreux. Si, au contraire, nous nous faisons une idée positive de lui et des résultats escomptés, notre attitude suscitera une attitude positive de sa part. Gardons à l'esprit que la majorité de nos proches n'a pas pour objectif de nous nuire mais de vivre le mieux possible !
- **se préparer à accepter une solution différente de notre solution initiale.** Quand nous cherchons à construire avec notre interlocuteur une solution satisfaisante pour tous les deux, elle a de bonnes chances de diverger de celle que nous avions imaginée *a priori*. Nous pouvons même considérer que si la solution retenue est différente de celles que nous avions imaginées et qu'elle nous convient néanmoins, c'est un facteur de succès ;
- **s'appuyer sur l'idée que nous avons, avec notre interlocuteur, des objectifs communs.** Rester amis et passer de bonnes vacances, l'équilibre d'un enfant, obtenir les résultats prévus... En revenant sur ces objectifs à moyen terme, nous faciliterons le rapprochement des points de vue et contribuerons à réduire les tensions : « Je vous rappelle que mon objectif est le bien être de ma fille ; je pense que cet objectif vous convient également ? »

Une bonne préparation vous permettra de vous détendre, de sortir au maximum de vos réactions de défense et de donner le meilleur au moment voulu. Vous pourrez ainsi aborder l'entretien dans un état d'esprit juste : vous vous serez « accordé », de la même façon qu'un musicien veille à accorder son instrument avant un concert.

> La préparation vous aide à trouver le ton juste. Elle vous donne un impact personnel lié à la cohérence entre vos mots, votre pensée et votre attitude. Elle vous replace dans votre rôle face à la personne que vous allez rencontrer.

Du « mais » qui oppose au « et » qui rassemble

On n'attire pas les mouches avec du vinaigre... Ne cherchez plus à imposer vos arguments, efforcez-vous de comprendre votre interlocuteur, de le prendre dans le sens du poil.

Nous nous sommes tous aperçus que certaines expressions entraînent des réactions négatives et nous cherchons à les éviter. S'il y a un mot sur lequel il est particulièrement utile de porter toute notre vigilance, c'est le mot « mais ».

En général, nous avons l'habitude de dire : « Je suis tout à fait d'accord avec toi *mais*... » Ou encore : « Je t'apprécie beaucoup *mais* je n'aime pas quand tu fais cela... » Et si vous observez la réaction de votre interlocuteur quand vous utilisez ce mot, vous vous apercevrez qu'il se met sur la défensive.

L'usage du « mais » invalide l'aspect positif de ce que nous venons d'exprimer — le « je suis d'accord », le « vous faites du bon boulot » — et nous place en situation d'*opposition* vis-à-vis de l'autre. Nous voulions rassurer, et nous menaçons.

Le « mais » déforme notre pensée. Nous apprécions notre interlocuteur et il entend, au contraire : « En fait, je ne suis pas d'accord avec toi... Si tu fais des choses qui me déplaisent, je t'apprécie moins. »

> Prenons l'habitude de remplacer « mais » par « et », aussi souvent que possible. Le « et » ne retranche pas ; il n'y a plus opposition, mais deux réalités qui cohabitent.

Le « et » place en situation de partenariat : « Je suis d'accord avec toi *et* je voudrais également te préciser que... Je t'apprécie beaucoup *et* je n'aime pas quand tu fais cela... »

Au départ l'exercice paraît un peu artificiel. Assez rapidement, cela devient un jeu. À l'usage, cela fait gagner beaucoup de temps, en supprimant des échanges inutiles et blessants.

Cessons de vouloir avoir raison

Nous cherchons trop souvent à avoir raison et, pour y parvenir, à donner tort à l'autre.

__Patricia__ et __Justine__, responsables marketing dans un groupe de cosmétiques, travaillent fréquemment en binôme. Elles sont toutes deux responsables de la création d'un nouveau concept de crème antirides et doivent le présenter demain au patron de l'entité.

Avant de rentrer chez elle, Patricia regarde une dernière fois ses visuels…

« Justine, tu n'as pas inséré le tableau de prévision de ventes pour le 2e semestre !

— Tu m'avais dit que tu le faisais.

— Mais lorsqu'on en a parlé hier, on avait convenu que tu t'en chargeais puisque c'est toi qui as les chiffres.

— Non je ne suis pas d'accord, ce dont nous étions convenues, c'est…

— De toute façon, il faut absolument que tu l'insères avant de partir. Demain, on aura trop de choses à penser avec l'organisation de la réunion, le stress…

— Enfin, tu exagères ! Pourquoi ce serait à moi de le faire ?

— Parce que c'est toi qui as les chiffres !

— Oui, mais ce soir ce n'est pas possible ! »

Justine n'arrive pas dire à Patricia qu'il lui est très difficile de rester ce soir : elle a rendez-vous chez un spécialiste pour l'un de ses enfants ; elle a mis longtemps à l'obtenir, il n'est pas possible de le reporter…

La tension continuera de monter jusqu'à ce que l'une des deux commence à écouter l'autre.

Les premières fois où nous entendons cette remarque sur « avoir raison, donner tort », nous avons l'impression qu'elle s'adresse surtout aux autres. Quand nous commençons à nous écouter parler, nous nous apercevons à quel point elle s'applique à nous aussi !

Le point gênant, c'est que cette attitude est immédiatement captée par le crocodile de notre interlocuteur : « Il cherche à m'imposer sa solution ». Et qu'elle entraîne la mise en œuvre d'une réaction de défense, avec tous les inconvénients que nous connaissons bien !

À vous de jouer

Dès que le ton monte dans une discussion (que vous soyez ou non impliqué), cherchez à décoder ce qui se passe à partir de cette grille « avoir raison, donner tort ».

L'un des interlocuteurs est-il en train de chercher à avoir raison, de donner tort à l'autre ?

Faites attention à vos paroles, présentez-vous les arguments de façon objective ? Êtes-vous conscient que certains sont un peu limites ? Êtes-vous prêt à accueillir une des solutions proposées par votre interlocuteur, ou bien déterminé à faire passer l'une des vôtres ?

Dans le cas de **Patricia** et **Justine**, le problème n'est pas « qui a raison, qui a tort », mais : comment procède-t-on pour réparer cet oubli ? Justine ne peut pas manquer son rendez-vous chez le médecin. En revanche, elle peut emmener chez elle un ordinateur portable et les chiffres dont elle a besoin pour établir le tableau des prévisions, et le faire dans la soirée. Patricia pourra le relire le lendemain matin en arrivant et cela lui suffit.

Un bon moyen de s'en sortir : rester centré sur l'objectif.

Les facettes d'une même réalité

La réalité a plusieurs facettes : plus les angles de vue sont nombreux, plus notre vision est riche et juste.

Les représentations que nous nous faisons des intentions des autres sont le plus souvent à côté de la plaque. Nous raisonnons par rapport à l'image que nous nous faisons d'eux et de la situation. Nous en tirons une vision rapide, caricaturale et souvent inexacte. Nous n'avons pas accès à la globalité de leur raisonnement, seulement à une part d'eux – et pas toujours la meilleure.

C'est en allant demander aux gens ce qu'ils pensent, en les écoutant sans *a priori*, en demandant des précisions sur les points qui diffèrent de notre conception des choses que nous pouvons nous faire une idée plus juste de la réalité. C'est en revenant au quotidien, au factuel, à ce qui se passe sur le terrain que nous aurons le plus de chances de trouver des solutions pragmatiques et durables.

Un moyen efficace de sortir d'une situation bloquée consiste à élargir notre conception des choses en recueillant des informations différentes, puis de revenir aux faits.

Quelques exemples pour illustrer ces histoires sur lesquelles tout le monde est d'accord et qui, pourtant, ne correspondent qu'à l'une des facettes de la réalité.

Jacqueline *est mère de sept enfants et grand-mère de dix-huit. Les membres de sa famille s'accordent à la trouver dure et rigide. Pourtant, dans les activités associatives auxquelles elle participe, ses amies sont nombreuses. Elles apprécient son courage et son sens pratique. À la bibliothèque où elle donne un coup de main une fois par semaine, des enfants et des adolescents viennent exprès le jour où elle « officie » pour bénéficier de ses conseils de lecture. Et certains profitent aussi de l'occasion pour se confier...*

Laurent *est infirmier. Ses collègues le trouvent triste et taciturne. Pourtant dès qu'il a enlevé sa blouse, il sait écouter ses amis, mettre dans les soirées un climat chaleureux et, tout simplement, goûter la vie.*

Adolescente ***Emmanuelle*** *avait du mal à trouver des baby-sittings : les parents qui auraient pu avoir recours à ses services lui trouvaient l'air trop jeune, un peu fofolle. Quelques années plus tard, elle est devenue institutrice et les enfants l'adorent !*

6. Passer de l'opposition au partenariat

Une personne qui semble inadaptée dans un environnement peut s'épanouir dans un autre contexte. Les qualités et défauts de cette personne ne changent pas, ou si peu ; l'environnement est plus ou moins favorable à l'épanouissement de ses qualités.

> Quand les personnes autour de nous semblent énervées, apathiques, anxieuses, il est souvent utile de nous demander : « Quelle est ma part de responsabilité dans cet état ? » Il ne s'agit pas de culpabiliser, juste de s'interroger sur ce qui se passe et ce que nous pourrions faire pour améliorer la situation.

À vous de jouer

Identifiez, dans les conversations habituelles autour de vous, une ou deux personnes qui font l'objet de critiques systématiques. Imaginez qu'elles ne sont pas aussi en tort que tout le monde s'accorde à le montrer. Essayez de comprendre quelles sont les raisons environnementales ou personnelles qui les poussent à avoir l'attitude qu'on leur reproche.

Parlez avec elles pour essayer de mieux les comprendre. Ce ne sera pas du temps perdu : cela vous permettra peut-être de les débloquer et, pour le moins, d'avoir progressé dans la compréhension de leurs mécanismes psychologiques...

Les douze risques quand nous communiquons

Quand l'autre résiste, se bloque, ne veut pas faire ce que nous lui demandons, nous avons tendance à laisser s'exprimer nos réactions de défense préférées.

Thomas Gordon a identifié douze façons habituelles de réagir, qu'il a appelées « les douze obstacles à la communication ». Nous pouvons également les appeler les douze risques, car il est possible d'utiliser certains d'entre eux quand le climat relationnel est bon, tout en restant vigilant par rapport aux réactions de nos interlocuteurs et en les évitant dès que la température émotionnelle s'élève.

Ces douze « risques » à la communication peuvent être associés à des réactions de défense :

- **Fuite** :

  1. Donner des conseils : « Écoute, moi, à ta place, je m'y prendrais comme ça… »
  2. Argumenter : « Mais si, souviens-toi, j'ai déjà essayé il y a trois mois et ça n'a pas marché ; d'ailleurs, ça va nous prendre un temps fou et nous avons mieux à faire. »
  3. Questionner : « Qu'est-ce que tu as ? Qu'est-ce qui s'est passé ? Qu'est-ce que je t'ai fait ? Pourquoi ne veux-tu pas me parler ? Pourquoi ne me réponds-tu pas ? »
  4. Ironiser : « Tu sais que tu es beau quand tu te fâches ? »

- **Lutte** :

  5. Ordonner : « On va faire comme ça, un point c'est tout. »
  6. Menacer : « Si tu ne fais pas ce que je te dis, c'est la dernière fois que je te demande un service. »
  7. Critiquer : « Je trouve que tu t'y prends n'importe comment. »
  8. Rudoyer : « Secoue-toi, tu es vraiment trop mou ! »

- **Repli** :

  9. Faire la morale : « Sois raisonnable, tu ne devrais pas te mettre dans des états pareils, tu ne te rends pas compte, que vont dire les gens s'ils te voient échevelé comme ça… »
  10. Flatter : « Tu t'en sors très bien, mais si, je t'assure ! D'ailleurs, je t'ai vu l'autre jour parler à Arthur, c'était très bien. »
  11. Analyser : « Si tu n'as pas réussi à mettre l'appartement en état dans les temps, c'est que tu n'avais pas assez réfléchi au temps qu'il te faudrait pour chacune des tâches que tu avais à accomplir… »
  12. Rassurer : « Ne t'inquiète pas, ce n'est pas grave, la prochaine fois tu feras mieux ! »

Vous vous êtes peut-être reconnu dans l'une ou plusieurs de ces phrases. Elles sont classiques, et nous les utilisons régulièrement.

À l'inverse, quand l'une ou l'autre de ces phrases nous est adressée, nous sentons bien à quel point elles peuvent être menaçantes, intrusives, pénibles. Dès qu'il y a un peu de tension dans l'air, elles viennent titiller le crocodile là où il a déjà mal.

Quand votre interlocuteur vous résiste, l'utilisation de l'un de ces douze risques ne fait que le renforcer dans son état de défense. Ils peuvent vous aider à purger votre propre tension, mais certainement pas à obtenir des résultats efficaces.

« Que nous reste-t-il si nous ne pouvons plus utiliser ces façons naturelles de réagir ? »

> La technique la plus efficace quand quelqu'un nous résiste, c'est... écouter ! Sans oublier de passer ensuite à la technique du « changement de vitesse » : alterner écoute et affirmation, pour aboutir à la recherche d'une solution sans perdant.

À vous de jouer

Une façon efficace de prendre conscience de l'impact de ces différents risques consiste, encore une fois, à écouter et observer ce qui se passe autour de vous.

Vous pouvez le faire en regardant la télévision (les débats politiques sont particulièrement intéressants de ce point de vue !), ou en écoutant deux personnes de votre entourage prises dans une discussion un peu animée.

Vous pouvez également utiliser sciemment certains de ces « risques » dans des situations non conflictuelles pour observer les réactions. Veillez néanmoins à placer quelques messages d'écoute derrière votre « risque » : vous éviterez de détériorer vos relations !

Enrichissons nos stratégies de communication

Cessons de faire toujours plus de la même chose

Sarah *se fait rudoyer par* ***Bernard****, le président de l'association dont elle est secrétaire générale, parce que la lettre bimestrielle de l'association est toujours envoyée aux adhérents avec une semaine de retard. Elle manque de confiance en elle dans son rôle de « rédactrice en chef de la lettre », et les remarques de* ***Bernard*** *ne l'aident pas — elles augmenteraient plutôt son angoisse. Sarah apprécie le caractère volontaire du président, mais ce serait bien si, de temps en temps, il faisait preuve d'empathie. De son côté, si* ***Bernard*** *la bouscule, c'est qu'il ne connaît pas d'autre moyen pour faire avancer les choses ; avec lui, « les gens souffrent mais les dossiers progressent » ! Cette technique ne fonctionne pas avec Sarah ; cela le désempare, alors il en rajoute une couche... avec un résultat qui empire !*

Ce qui nous est reproché, ce n'est pas de nous exprimer brutalement, de ne pas tenir nos engagements ou d'être trop bavard, c'est surtout de nous entêter dans nos attitudes, de ne pas accepter les remarques et de continuer à faire toujours plus de la même chose. C'est plus fort que nous !

Nous avons tous une ou deux manières naturelles de *communiquer*, conditionnées par nos états de défense privilégiés. Et nous avons du mal à en imaginer d'autres, surtout lorsque nous sommes stressés. Comme si nous avions des œillères qui nous empêchent de voir d'autres façons de nous exprimer.

6. Passer de l'opposition au partenariat

Les 7 + 1 stratégies de communication

« C'est en essayant encore et encore que le singe apprend à rebondir. »

Proverbe africain

Dès que nous sommes sous tension, nous utilisons de préférence l'un ou l'autre de nos deux modes de communication privilégiés. Certains vont alterner le fait de trancher puis se taire. D'autres vont proposer des solutions et argumenter jusqu'au bout. D'autres vont se taire, écouter, laisser les autres parler, et proposer des solutions qui satisfassent le plus de monde possible, etc.

Nous utilisons ces trois façons de communiquer, alors que nous avons tous à notre disposition au moins 7 + 1 stratégies de communication.

Ces huit stratégies ne sont pas artificielles, elles n'ont pas été inventées, elles ont juste été observées : parmi ces huit stratégies, il y a les vôtres, les nôtres et celles que vous observez tous les jours chez votre conjoint, vos amis, vos collègues, votre patron...

- Les trois premières stratégies (stratégies « naturelles ») correspondent aux trois réactions de défense « brut de décoffrage » :
  1. **Trancher, décider, bousculer** : « Maintenant, on va faire ce que je dis. »
  2. **Se taire, réfléchir, prendre du recul, s'adapter** : « OK, si vous voulez procéder de cette manière, c'est ce qu'on va faire. C'est vous qui voyez. »
  3. **Changer, innover, trouver des solutions** : « Et si on faisait comme ça ? Ou comme ça ? »
- La quatrième, nous l'avons tous apprise au cours de nos études ou de notre vie professionnelle :
  4. **Ramener le problème à un raisonnement factuel, logique**, et faire une synthèse des différents éléments évoqués : « Si l'on résume : il s'est passé ça, ça et ça. »
- Les cinquième, sixième et septième sont des versions élaborées des trois premières, et elles correspondent aux trois techniques formalisées par Thomas Gordon :

5. **S'affirmer de façon assertive**, c'est-à-dire de façon ferme et non agressive. Cette technique correspond au « message-je ». C'est une forme plus évoluée de la lutte ; on affirme son besoin, tout en respectant l'autre : « J'ai besoin que tu me laisses un peu de temps pour moi. »
6. **Écouter, reformuler, comprendre l'autre** : « Ce qui est important pour toi, ce que tu ressens, c'est cela ? » Cette façon de faire correspond à « l'écoute active », c'est une forme plus évoluée du repli ; on est en empathie avec l'autre, on lui laisse de la place, on cherche à mettre de l'harmonie et du consensus.
7. **Construire des solutions synergiques** : « Nous allons chercher une solution qui nous satisfasse tous les deux. » Cette façon de faire correspond à la recherche de solutions sans perdant. C'est une forme plus élaborée de la fuite : au lieu d'imaginer des solutions dans notre coin, nous les construisons avec notre interlocuteur.
8. **Votre stratégie personnelle** : celle que vous vous êtes construite et qui vous est propre (nous en reparlerons page suivante).

Stratégies « naturelles »	Stratégies « élaborées »	État de défense
1. Trancher, décider, bousculer	5. S'affirmer positivement	Lutte
2. Se taire, réfléchir, s'adapter	6. Écouter, reformuler	Repli
3. Changer, trouver des solutions	7. Construire des solutions synergiques	Fuite
4. Ramener au concret, au factuel, à un déroulement logique	8. Notre stratégie personnelle	

Même si ces huit stratégies ne nous conviennent pas toutes, nous pouvons utiliser au moins quatre ou cinq d'entre elles. Cela représente déjà un progrès notable par rapport à notre mode habituel de fonctionnement !

Mettre en œuvre de nouveaux modes de communication n'est pas aussi facile que cela peut sembler sur le papier. Apprendre à écouter plus, vous affirmer plus va vous demander un certain temps d'apprentissage. Très rapidement, vous allez prendre conscience des bénéfices apportés par cet enrichissement.

Un choix plus large, associé aux techniques évoquées précédemment (totem et ancrage, en particulier), va vous permettre de prendre du recul par rapport à vos réflexes habituels, de gagner en liberté et en autonomie.

> Testez ces différentes stratégies de communication : identifiez celles qui vous conviennent le mieux, utilisez-les, créez de nouveaux automatismes. Prenez conscience de la richesse de ces alternatives et profitez-en.

Votre entourage sera agréablement surpris par vos nouvelles manières de faire.

À vous de jouer

Élargissez progressivement le nombre de stratégies de communication que vous êtes en mesure d'utiliser dans une situation désagréable ou stressante.

Pour parvenir à identifier dans la liste ci-dessous celles qui vous conviennent le mieux :

1. Identifiez votre stratégie de communication la plus fréquente (en général celle liée à votre état de défense principal).
2. Puis vos stratégies numéro deux et numéro trois (celle liée à votre état de défense numéro deux et la version élaborée de votre stratégie de communication la plus fréquente : s'affirmer pour la lutte, écouter pour le repli, construire des solutions synergiques pour la fuite).
3. Puis vos stratégies numéro quatre et cinq (le raisonnement rationnel et la version élaborée de votre stratégie de communication numéro deux).

Les stratégies de communication les plus difficiles à mettre en œuvre sont en général celles qui sont liées à votre état de défense numéro trois.

La huitième corde à notre arc

En plus des stratégies de communication identifiées précédemment, chacun d'entre nous dispose d'une stratégie de communication qui lui est propre. C'est cette stratégie que nous appelons la 7 + 1ème ou la stratégie personnelle.

Il s'agit d'un mode d'expression spécifique, une combinaison personnelle de façons de faire et d'être. Elle s'est construite au fil du temps, en fonction de qui nous sommes, de nos expériences, et pour répondre aux situations que nous avons rencontrées.

C'est souvent une attitude que notre entourage apprécie chez nous, qui désarme ou stimule, fait réfléchir ou calme... Elle est liée, bien sûr, à notre état de défense privilégié, mais il y a quelque chose en plus, un talent que nous utilisons à bon escient.

Alain *est capable d'une gentillesse confondante. Il se met en quatre pour désarmer les tensions et les conflits. Sa patience, son écoute, les solutions qu'il propose font des miracles.*

Christina *est animée d'un sacré punch. Quel dynamisme ! Elle a toujours des projets à soumettre à ses amis. Son enthousiasme est communicatif.*

Sébastien *a une intelligence concrète, qui va en profondeur. Il sait beaucoup de choses et reste très discret. C'est le roi du bricolage.*

Isabelle *est passionnante : elle a toujours une anecdote à raconter, un livre, un film, une rencontre, un voyage... En plus, elle sait s'adapter à son auditoire.*

Ces exemples vous sont peut-être familiers : tous les gens de notre entourage ont des talents, des savoir-faire spécifiques. Ils n'ont pas conscience d'utiliser une stratégie, ils font instinctivement ce qui leur semble approprié sur le moment. Et pourtant, de l'extérieur, nous admirons leur façon de faire et nous voyons bien qu'ils procèdent souvent de la même manière.

Nous vous proposons de prendre conscience de votre stratégie personnelle et de l'utiliser plus souvent ; de faire consciemment ce que vous faisiez inconsciemment, d'en faire un savoir-faire que vous puissiez enrichir et utiliser à chaque fois que vous en aurez besoin.

À vous de jouer : trouvez et renforcez votre stratégie personnelle de communication

Première étape : identifiez les deux ou trois attitudes que vous utilisez dans un moment où vous n'êtes pas à l'aise. Par exemple, dans une réunion professionnelle, un entretien important, votre arrivée dans un endroit où vous ne connaissez personne, un dîner en ville, une dispute...

Deuxième étape : parmi ces deux ou trois attitudes, identifiez celle avec laquelle vous vous sentez le plus à l'aise et utilisez-la sciemment au cours des prochains jours. Observez-vous. Rôdez votre comportement, modifiez-le et éventuellement changez-en.

Troisième étape : observez le résultat. Si cela fonctionne et que vous avez du plaisir à l'utiliser, n'hésitez pas à adopter cette attitude de plus en plus souvent. Améliorez-vous, trouvez les limites, développez vos compétences et votre savoir-faire dans ce domaine.

Faites en sorte de vous construire un outil efficace, agréable, amusant. Plus vous l'utiliserez, plus l'outil se fera à votre main, ou plus exactement à votre voix et à votre corps ; et plus vous prendrez de plaisir à l'utiliser. Ce faisant, vous enclencherez un cercle vertueux de développement de vos compétences relationnelles.

Et n'oubliez pas d'alterner les différentes stratégies, ainsi que les messages d'écoute et d'affirmation.

Nos interlocuteurs se lassent de nous voir réagir toujours de la même manière. D'ailleurs, avouons-le, nous aussi, cela nous fatigue ; n'hésitons pas à utiliser d'autres pistes.

Six profils complémentaires

Quand nous étudions les différentes réactions de défense, la tentation de savoir dans quelle catégorie nous sommes et dans quelles autres se trouvent nos interlocuteurs est très forte. Rien de plus normal : si nous étions en mesure de le savoir, cela nous permettrait de discerner au plus vite ce qu'il est utile de faire quand la situation commence à déraper. Mais nous sentons bien que situer l'un de nos interlocuteurs dans l'une de ces trois catégories – « fuite », « lutte », « repli » – est trop caricatural. Nous n'aimerions pas, non plus, être rangés sous l'une de ces étiquettes !

En combinant les trois états de défense deux par deux, cela nous donne six combinaisons, six profils de personnalités dans lesquelles il est beaucoup plus facile de se reconnaître et de situer nos interlocuteurs.

Après quelques semaines d'utilisation, cette grille permet de se faire une idée assez juste des points forts et des travers de personnes que nous rencontrons pour la première fois. Il nous est plus facile de déceler les faiblesses derrière les qualités que nous percevons et d'imaginer les qualités derrière les défauts.

Nous vous recommandons de rester souple et réservé dans l'utilisation de ces catégories.

> **Chaque être humain est beaucoup plus complexe que toutes les classifications qui peuvent être faites. Nous ne sommes pas uniquement l'un de ces profils et il en va de même pour nos interlocuteurs. Dans certaines circonstances, face à certaines personnes, il est possible que nous fonctionnions selon un profil différent.**

Les six profils

Les six profils

Combinaison	1 Lutte-Fuite	2 Lutte-Repli	3 Fuite-Lutte	4 Fuite-Repli	5 Repli-Lutte	6 Repli-Fuite
Les forces en présence	Force et mouvement	Force et rigueur	Dynamisme et résultats	Dynamisme et idées	Réflexion et affirmation	Réflexion et imagination
Type d'énergie	Le conquérant (le sportif)	Le redresseur (le producteur)	Le négociateur (le chef de projet)	Le créatif (l'innovateur)	L'expert (l'enseignant)	Le stratège (le sage)
Le point fort	Sait trancher et avancer	Sait trancher et voir juste	Sait structurer et rebondir	Sait s'adapter et avancer	Sait voir et dire ce qui est juste	Sait prévoir anticiper, apporter de la souplesse
La valeur ajoutée	Les résultats, le développement	Le sens de l'action juste, le redressement	Le mouvement, la garantie de résultats	La production de solutions créatives et pragmatiques	Le discer-nement, la référence	La vision globale, le recul, le calme
Tendance relationnelle instinctive	Exigeant et dynamique	Exigeant et impatient	Ouvert, dynamique et exigeant	Créatif et convivial	L'expert, celui qui sait	Se met en retrait, cherche à arranger les choses
Les risques sous stress	Difficulté à prendre du recul, manque de confiance	Manque de souplesse, trop cassant	Difficulté à prendre du recul, perfec-tionnisme	Tendance à l'éparpillement, peut devenir cassant	Tendance à la rigidité difficulté à s'exprimer	Manque de concret, difficulté à trancher

Vivre et communiquer avec les différents profils

Il n'y a pas de bon ou de mauvais profil. Chacun incarne une forme d'énergie particulière. Chacun a ses qualités et ses défauts. Si certains s'adaptent mieux à certaines situations, les autres le feront dans d'autres contextes. Chacun peut s'épanouir et atteindre une forme d'excellence dans son domaine.

Même en cherchent bien, nous ne rencontrerons jamais d'ami, de parent, de conjoint, de manager ou de collaborateur parfait ! Ils n'existent pas. En revanche, il est tout à fait possible de rencontrer des équipes, des couples, des familles où l'harmonie, l'efficacité et la joie de vivre cohabitent et se renforcent. Les observations montrent que ces groupes humains sont ceux dans lesquels la communication est fluide et le respect de l'autre important.

En associant la compréhension des stratégies de défense, celle des six profils et l'utilisation des techniques développées par Thomas Gordon, il devient plus facile de surmonter les difficultés et les tensions relationnelles. Il n'est pas possible de maîtriser du jour au lendemain toutes les techniques évoquées dans cet ouvrage. En revanche, avoir à notre disposition cette boîte à outils et ces modes d'emploi permet de se sentir beaucoup mieux dans les situations délicates.

Quand on les utilise régulièrement, mettre en œuvre ces techniques de communication est aussi simple que conduire une voiture. Les automatismes se sont créés, les phrases et les expressions justes sortent avec facilité. Il y a peu d'efforts à faire, juste une vigilance à maintenir, pour ne pas sortir de la route.

Comme dans l'automobile, il y a plusieurs catégories et plusieurs façons de conduire. Selon les situations que nous allons rencontrer, la personnalité qui est la nôtre et les personnes avec lesquelles nous vivons ou travaillons, nous aurons à conduire une berline, une voiture de rallye ou une formule 1, dans des conditions allant de l'autoroute par temps sec à la route de montagne avec brouillard et verglas !

Quatrième partie

Vivre ensemble

Chapitre 7
Construire la confiance

« Un ami, c'est quelqu'un qui vous connaît bien et qui vous aime quand même. »

Hervé LAUWICK

Objectif de ce chapitre

Identifier des pratiques et des savoir-faire permettant de développer bien-être et richesse humaine au sein d'un groupe.

Vous y trouverez :

- Vivre ensemble, ce n'est pas naturel
- Communiquons sur notre façon de fonctionner
- Ayons un projet commun
- Luttons contre l'inertie, prenons le taureau par les cornes
- Attaquons-nous aux faits, pas aux personnes
- Passons-nous le ballon, faisons ce pour quoi nous sommes doués
- Restons attentifs aux réactions du crocodile

Dans les chapitres précédents, nous avons vu comment enrichir nos relations avec notre entourage, de façon individuelle. Dans ce chapitre, il s'agit d'aborder les relations au sein d'un groupe – famille, amis, travail, voyages –, avec tout l'impact que peut avoir l'amélioration de ces relations sur le plan du bien-être et de l'efficacité.

Vivre ensemble, ce n'est pas naturel

*La famille **Leroy** a pour habitude de passer 15 jours de vacances, chaque été, dans la grande maison familiale. C'est une famille qui s'entend plutôt bien, et pourtant... Marie a 55 ans. Elle se dispute avec sa mère depuis son enfance. Elle la trouve égocentrique à un point qui l'insupporte. Marie a trois fils, dont deux sont mariés depuis peu et un encore étudiant. Elle du mal à s'entendre avec ses belles-filles mais les accueille de son mieux. Quant à son dernier fils, elle ne comprend pas qu'il puisse se lever tous les jours à midi. À son âge, elle était beaucoup plus active ! Sa famille a beau être importante pour elle, et ces vacances attendues toute l'année, que de tensions et de moments de stress en perspective !*

Vivre ensemble, ce n'est pas naturel, que les membres du groupe se connaissent depuis toujours ou qu'ils viennent d'horizons différents.

> À la première cause de stress, les réactions de défense ne tardent pas à s'enclencher et à se stimuler les unes les autres.

« Dis-moi quelque chose de toi que je ne connais pas... » Cette suggestion permet aux uns et aux autres de mieux se connaître et renforce la confiance. C'est bien entendu indispensable dans le cas d'un groupe en train de se constituer, comme c'est le cas pour Marie et ses belles-filles . C'est également très utile dans le cas d'un groupe habitué à vivre ensemble depuis plusieurs années.

*Après avoir lancé le sujet à la fin d'un dîner, la famille **Leroy** a ainsi appris pourquoi le grand-père avait demandé la grand-mère en mariage, puis que Marie avait longtemps regretté de ne pas pouvoir être danseuse ; la première belle-fille a raconté son concert de clarinette à l'âge de 12 ans, et la seconde a parlé de l'association humanitaire qu'elle animait lorsqu'elle était à la fac.*

À vous de jouer

Un exercice convivial, qui peut être abordé sous forme de jeu, ou dans le cadre d'une conversation détendue, consiste à demander aux différents membres du groupe de raconter quelque chose à propos d'eux-mêmes que les autres ne connaissent pas : « Parle-nous de quelque chose dont tu es fier, ou qui constitue un bon souvenir. »

Évoquer des souvenirs qui ne l'avaient jamais été auparavant crée un plus grand niveau de connivence. C'est simple, facilement réalisable et très enrichissant. Celui qui parle n'est plus la personne un peu distante, effacée ou envahissante ; c'est juste une personne humaine avec des passions, des talents et des choses intéressantes à raconter.

> Une condition fondamentale pour améliorer le sentiment de bien-être au sein d'un groupe : nourrir la connivence et la confiance.

Communiquons sur notre façon de fonctionner

« Vous n'aurez jamais une deuxième chance de faire une bonne première impression. »

David Swanson

Quand nous arrivons ou que nous accueillons quelqu'un au sein d'un groupe, de manière temporaire (week-end entre amis, vacances) ou plus durable (entrée dans une famille, équipe professionnelle), il y a toujours une période d'observation mutuelle, un réflexe animal.

Instinctivement, nous savons qu'il nous faut trouver ou imposer notre place et qu'il en sera de même pour celui qui arrive.

Nous avons tous des capteurs automatiques qui nous permettent d'évaluer, consciemment ou inconsciemment, le type de réactions des personnes autour de nous. Et lorsqu'un équilibre se modifie (nouveau groupe ou nouveau membre dans le groupe), nos capteurs sont particulièrement en alerte. Chacun observe attentivement pour essayer de comprendre : « Qui est-il, quel type de comportements a-t-il, pouvons-nous avoir confiance en lui ? »

Très rapidement, chacun se fait une idée du type de personnalité des autres membres du groupe et commence à adopter des comportements en conséquence. Nous gagnons à être conscient de l'existence de ces questions.

Lorsque nous arrivons dans un groupe, une façon efficace de créer la confiance consiste à exprimer rapidement et clairement qui nous sommes, ce que nous attendons du groupe et ce que nous pouvons lui apporter. Cela contribuera à générer un climat positif au sein du groupe.

La tendance naturelle de **Julie** *est de faire preuve d'autorité. Lorsqu'elle part en week-end avec ses amis, tout le monde est content : « Avec elle, les choses avancent... » Répartition des chambres, courses, concours de pétanque, jeux après le dîner, tout est pris en main ; l'expression « temps mort » ne fait pas partie de son vocabulaire. En revanche, il ne faut pas s'attendre à être ménagé ! Ce qu'elle a à dire, elle le dit. Julie est consciente que ce trait de caractère est à la fois apprécié et redouté de son entourage.*

Ses amis connaissent sa tendance à bousculer les gens qui se mettent en travers de sa route. C'est d'ailleurs une des raisons pour lesquelles ils hésitent à lui parler franchement ou à faire preuve d'initiatives ! Selon les personnalités, les réactions vont du blocage psychologique à l'agitation, en passant par l'agacement et la prise de bec !

7. Construire la confiance

Pour obtenir de ses amis qu'ils soient plus moteurs dans les projets qu'elle organise, **Julie** doit parvenir à les mettre en confiance ; quand ils cesseront d'avoir peur de ses réactions, ils seront mieux à même de dire ce qu'ils pensent puis de passer à l'action.

Comme la majorité des gens, Julie n'est pas monobloc : derrière ses comportements parfois un peu rudes, se cachent une grande générosité et des valeurs humaines fortes. Et ses amis le savent. Grâce au travail qu'elle a fait sur elle-même, elle est maintenant capable de s'apercevoir des moments où elle dérape, de les reconnaître et de modifier ses comportements. Elle peut mettre sa clairvoyance et son autorité naturelle au service de ses amis, sans exiger de leur part une efficacité et un perfectionnisme mal venus, surtout en vacances ! Elle peut rire avec eux de ses défauts et accepter de se faire gentiment rabrouer.

Que notre tendance soit la fuite, la lutte ou le repli, exprimer nos points forts, nos limites et nos besoins, demander à être soutenu dans notre volonté de progresser permet de s'épanouir au sein d'un groupe.

Et vous, où en êtes-vous ?

Parlez-vous facilement de vos défauts avec les personnes de votre entourage, ou cherchez-vous à les dissimuler ?

Est-ce plus facile avec certains qu'avec d'autres et, si oui, avec lesquels ? Pourquoi ? Quels sont les profils (au sens des états de défense) avec lesquels cela vous est le plus facile ?

Quels bénéfices pourriez-vous tirer d'une plus grande ouverture envers certains de vos proches ?

Avec qui allez-vous commencer ? Quand et comment allez-vous aborder le sujet ?

Ayons un projet commun

« L'amour ce n'est pas se regarder l'un l'autre,
c'est regarder ensemble dans la même direction. »

Antoine de SAINT-EXUPÉRY

Vivre ensemble, travailler en équipe, ce n'est pas facile. Les difficultés de fonctionnement sont quasi inévitables :

- certaines personnes sont « trop » semblables. L'un et l'autre ont du mal à se positionner, ce qui peut conduire à une rivalité, des agacements, des frustrations, du désintérêt ;
- certaines sont « trop » dissemblables, ne se comprennent pas, se blessent… au lieu de tirer parti de leur complémentarité.

L'une des façons efficaces de passer outre consiste à se concentrer sur un objectif commun.

Comment continuer ensemble quand nous avons du mal à nous entendre avec nos collègues, nos enfants, notre conjoint, l'instituteur de notre aîné ? Pourquoi le faire ? La réponse tient souvent dans le « pour quoi ». Le lien, c'est le projet commun :

- **Lydia** a besoin d'une nourrice pour sa fille, et Josiane est attachée à l'enfant.
- **Julie** et ses amis ont envie que leur week-end soit réussi ;
- **Sarah** et **Bernard**, le président de l'association, souhaitent que la lettre bimestrielle soit une réussite ;
- Les membres de la famille **Leroy** feront tout pour que les vacances se passent bien.

Un projet commun nous donne la motivation nécessaire pour chercher une solution à nos agacements mutuels.

7. Construire la confiance

Et vous, où en êtes-vous ?

Identifiez les projets que vous avez en commun avec les gens qui vous entourent, en particulier avec ceux qui vous occasionnent énervements ou découragement...

Luttons contre l'inertie, prenons le taureau par les cornes

« Les conséquences de ce qu'on ne fait pas sont les plus graves. »

Marcel Mariën

Quel que soit l'environnement dans lequel nous nous trouvons, quand la situation ne nous convient pas, la difficulté consiste à s'attaquer au problème en trouvant la bonne attitude : ni agressif, ni laxiste, ni agité. Comment déjouer les forces d'inertie qui poussent à ne surtout rien changer ? C'est un vrai combat ! Tous les prétextes sont bons : « Désolé, je n'ai pas le temps de faire ce que tu me demandes... On a déjà essayé plusieurs fois et ça n'a pas marché... On n'a jamais fait comme ça... ça ne sert à rien. De toute façon, ta mère ne sera jamais d'accord... »

L'un des facteurs clés de réussite consiste à suivre notre intuition jusqu'au bout, quelles que soient les résistances rencontrées ; en ayant soin de respecter les règles du « changement de vitesse » : affirmation, deux à trois reformulations, nouvelle expression de l'affirmation, nouvelle séquence d'écoute. Ceci évite de tomber dans l'excès de zèle ou l'entêtement stérile.

Par définition, tout problème signifie que nous sommes confrontés à des forces opposées, ou pour le moins différentes de celles que nous souhaitons privilégier. Si nous voulons réussir, il faut surmonter l'obstacle. À l'image des arts martiaux, il s'agit d'apprendre à utiliser la force de l'adversaire, plutôt que de la subir ou de réagir contre elle.

> Rester face à l'obstacle, ramener au concret, au factuel, attendre que l'émotion s'évacue.

Dès que nous commençons à vouloir changer la moindre règle ou habitude, les blocages apparaissent. Les habitudes sont très utiles : elles sont la condition *sine qua non* pour gagner du temps, assurer la sécurité et éviter que tout le monde « réinvente la roue » à chaque instant. Comme nos réflexes, elles conviennent parfaitement quand le stress n'est pas trop important ; et, comme eux, elles nous font parfois faire des erreurs monumentales.

Comment s'y prendre pour les faire évoluer sans générer trop de résistances ? Pour chacun d'entre nous, il y a, bien entendu, une stratégie plus simple et efficace que les autres :

- Pour **Léonard** et sa dominante lutte, la stratégie consiste à s'approcher de l'obstacle et mettre de la pression, sans excès. À l'instar de tous les gens comme lui, il aime provoquer et fait montre d'un esprit de contradiction : « Faire bouger les choses, obtenir des résultats là où les autres n'en obtiennent pas ! Ça m'amuse ! Quitte à mettre "un peu" la pagaille... » S'il obtient les résultats promis, personne ne lui en voudra d'être sorti des normes. Et si cela ne marche pas aussi bien que prévu, il saura se défendre et se justifier.

- Pour **Annabelle** et sa dominante fuite, la stratégie consiste à faire un bilan précis de la situation, ce qui lui permet de trouver des solutions concrètes, d'imaginer des chemins détournés, d'obtenir des moyens que les autres n'auraient jamais imaginés.
- Pour **Simon** et sa dominante repli, la stratégie consiste à trouver la logique, le fil directeur, la meilleure trajectoire possible, le moyen le plus adéquat.

Par expérience, nous savons que les obstacles sont souvent beaucoup moins importants qu'ils n'apparaissent au départ.

> La chose la plus importante à faire : un premier pas calme, serein, efficace.
> Plus nous relevons les défis, plus ils nous semblent faciles et amusants à vivre.

Le taureau

Et vous, quelle est votre stratégie pour vaincre les résistances et l'inertie ?

N'hésitez pas à vous replonger dans tout ce que vous avez appris sur vous-même au cours des premiers chapitres.

Attaquons-nous aux faits, pas aux personnes

« Parler de taureaux, ce n'est pas comme aller dans l'arène. »

Proverbe espagnol

*Un samedi soir de juin, après de nombreuses négociations et recommandations, **Hugues** et **Myriam** ont accepté de laisser leur appartement à leurs deux ados de 16 et 19 ans, pour une soirée de fin d'année. Retour le dimanche vers 16 heures... Ils retrouvent leur appartement dans un état peu glorieux : des verres pleins de mégots traînent à droite et à gauche, les bouteilles vides (et elles sont nombreuses !) n'ont pas été jetées, le sol de la cuisine est crasseux...*

Hugues est très énervé : lui et Myriam avaient hésité, puis cédé sous conditions, conditions qui n'ont pas été respectées. Il a envie de crier à ses enfants toutes les phrases qui se bousculent dans sa tête : « C'est insupportable ! On ne peut donc jamais vous faire confiance ? Vous pouvez courir avant qu'on ne vous re-prête l'appartement ! » Ayant bien digéré les savoir-faire présentés précédemment, Hugues s'exprime de la façon suivante : « Je suis très énervé de voir l'appartement dans cet état. Cela m'est vraiment pénible. Que comptez-vous faire pour que ce soit remis en ordre rapidement ? »

S'attaquer aux faits et non aux personnes est un moyen efficace de relâcher la vapeur sans nuire au climat relationnel.

Ce sont les faits qui nous portent préjudice, attaquons-nous à eux lorsque nous avons besoin d'exprimer notre insatisfaction. Le message est beaucoup plus acceptable que si la pression est dirigée vers la personne !

Concrètement, qu'est-ce que cela signifie ? Ce qui pose un problème à **Hugues**, ce ne sont pas ses enfants mais les conséquences de leur négligence.

Première étape, faire sortir la pression :

«Je suis très énervé de retrouver l'appartement dans cet état, cela m'est vraiment pénible.

— Mais Papa, on ne pensait pas que vous reviendriez si tôt ! Il y avait une ambiance du tonnerre, nos amis sont partis plus tard que prévu et du coup on a eu du mal à se lever. »

Deuxième étape, se concentrer sur les faits :

« Comment comptez-vous vous y prendre pour que l'appartement redevienne nickel ?

— Je vais passer la serpillière dans la cuisine pendant que Lorraine évacue les bouteilles. Pendant ce temps-là, si vous alliez vous promener ? Il fait encore très beau ! »

Il n'y a pas de mal à s'énerver contre le désordre. Votre enfant ne vous en voudra pas !

Quand Hugues et Myriam découvrent l'état de leur appartement, ils ont le choix : soit ils se défoulent sur leurs enfants, et il est rare que ce genre d'échanges aboutisse à autre chose qu'à une crise et beaucoup de rancœur... soit ils expriment leur insatisfaction en s'en tenant aux faits. Dans un deuxième temps, il sera également utile de reparler de cette situation pour éviter qu'elle se reproduise.

Chaque fois que nous parvenons à communiquer sur les problèmes de façon factuelle, les solutions sont trouvées avec rapidité.

À vous de jouer

Identifiez un sujet qui vous gêne et que vous n'avez pas réussi à aborder jusqu'à présent ; allez voir les personnes concernées, concentrez-vous sur les faits et sur le problème à résoudre, faites-en un exercice d'entraînement à l'écoute, l'affirmation, le changement de vitesse et la recherche de solutions sans perdant.

Passons-nous le ballon, faisons ce pour quoi nous sommes doués

***Jean-Marc** et ses copains partent faire une randonnée d'une semaine en montagne. Dès la première journée, les rôles se répartissent spontanément : Jean-Marc ouvre la route. Avec Vincent, impossible de se perdre ; il dispose de plusieurs cartes, de relevés topographiques et son sens de l'orientation semble infaillible. Cédric entraîne les marcheurs avec son répertoire impressionnant de chansons ; quant à Lola, elle n'est jamais à court de chocolat ou de pansements pour les ampoules.*

Au soir du cinquième jour, ils se rendent compte qu'il leur reste à peine une journée de vivres alors qu'ils doivent encore marcher deux jours. La tension monte. Jean-Marc est très énervé contre Lola et Cédric (les responsables de l'intendance). Les reproches mutuels deviennent acides. Jusqu'au moment où Lola commence à mettre de l'huile dans les rouages. Jean-Marc décide alors de répartir la nourriture en rations plus petites ; Cédric et Vincent s'absentent deux heures... et reviennent avec une truite pêchée dans une rivière en contrebas. Lola a déniché des myrtilles, qui feront merveille pour le dessert !

Comment résoudre les difficultés, quand nous ne nous sentons pas capables de les prendre à bras-le-corps ? La meilleure solution : s'appuyer sur les gens qui aiment et savent faire les choses que nous n'arrivons pas à faire ; faire appel à des personnes douées de qualités complémentaires par rapport aux nôtres.

Les meilleurs managers, les meilleurs parents, les meilleurs amis ne sont jamais des surhommes ; en revanche, ils se connaissent bien eux-mêmes et ne manquent jamais de faire appel aux personnes dont ils sont entourés quand eux-mêmes se sentent dépassés.

Connaître ses talents, ses faiblesses, ainsi que ceux des autres, passer le ballon à celui qui sera le mieux placé pour marquer le but, c'est la meilleure façon d'obtenir les résultats qui nous conviennent.

Restons attentifs aux réactions du crocodile

Même lorsque tout est en place et bien organisé, même lorsqu'il y a accord sur les règles du jeu et les objectifs, les résistances peuvent être nombreuses. Nous avons parfois tendance à croire que c'est par mauvaise volonté, parfois même que les gens nous en veulent. Et pourtant ce n'est pas le cas. Il s'agit juste de réactions crocodiliennes !

> Dès qu'il est question de modifier des habitudes, chaque crocodile va commencer à tarabuster son propriétaire et susciter en lui les réactions que nous commençons à bien connaître.

Simon, qui réagit souvent par des réactions de repli, est parvenu à se convaincre qu'il allait, cette fois, non seulement démarrer sa recherche d'emploi, mais aussi aider les membres de sa famille à atteindre leurs propres objectifs. Et il met en place tout ce qu'il faut pour que cela marche. Les problèmes vont surgir quand il lui faudra surmonter les premières difficultés. Son crocodile va le freiner. Autre problème lié à son mode de fonctionnement : le respect des délais ; il est souvent plus lent que les autres. Le moyen qu'il a développé au cours des années pour faire face à ces blocages ? La persévérance.

Léonard, jeune garçon qui réagit surtout par des réactions de lutte, résiste ouvertement à tout ce qu'on lui propose. Il trouve nulles les activités suggérées par ses parents (faire du judo et aller plus souvent à la bibliothèque)... Il râle quand on lui annonce qu'une baby-sitter va venir le garder avec sa sœur le soir où sa maman sera à son cours de danse. Pourtant, quelques semaines plus tard, c'est lui qui relance ses parents : « Alors, j'y vais quand au judo ? » Par la suite, il sera l'un des élèves les plus appliqués du cours. Il s'occupe également de sa petite sœur « en second avec la baby-sitter » les soirs où ses parents sont absents. Les personnes réagissant majoritairement par de la lutte résistent, font du bruit, mais, finalement, prennent en charge beaucoup de projets et se battent pour les mener à bien. Le moyen de les faire avancer ? Prendre en considération ce qu'ils nous disent, écouter la part juste, reconnaître leur contribution...

Les réactions les plus fréquentes d'**Annabelle** sont de type « fuite ». Elle a du mal à s'engager sur des objectifs précis. Si elle est obligée de le faire, elle réduit le plus possible le niveau de ces objectifs. Elle est prête à dépenser énormément d'énergie mais ne supporte pas l'idée d'être prise à défaut. Ce qui la motive, ce sont les challenges atteignables : s'ils sont trop élevés, elle aura l'impression de ne pas pouvoir les atteindre, et risque de se décourager. En cas de difficulté, c'est plus fort qu'elle, elle va chercher des excuses : « Je n'ai pas été à mon cours de dessin parce que ma fille avait de la fièvre »...

Une attitude, un discours motivant pour l'un risque d'être démotivant pour les autres.

Ce qui motive **Léonard**, c'est le challenge, la bagarre. Il se sent reconnu si on insiste sur la difficulté des objectifs à atteindre. Si on tenait ce langage à **Simon**, cela risquerait fort de le bloquer. Quant à **Annabelle**, elle n'aurait qu'une envie : s'enfuir à toutes jambes.

Quand les gens n'adhèrent pas aux objectifs ou ne savent pas précisément ce qui est attendu d'eux, tous les phénomènes décrits ci-dessus sont amplifiés. La moindre pression ou demande multiplie les réactions de défense. Tout se passe comme si le crocodile attendait le premier prétexte pour se manifester.

Et vous, où en êtes-vous ?

Avez-vous identifié le type de réaction de défense de vos proches ? Êtes-vous capable de comprendre quels sont les besoins cachés derrière ces réactions ? Comment allez-vous en parler avec eux ? Que pouvez-vous faire pour contribuer à les satisfaire et faire en sorte que vos besoins soient également satisfaits ?

7. Construire la confiance

Avant de passer à la suite...

Comment savoir quel est le bon niveau de pression pour nous-mêmes et pour les autres ? Comment mettre en œuvre le bon niveau d'exigence ? Chacun rencontre des difficultés spécifiques liées à sa personnalité, ses réactions de défense, son vécu personnel. Certains ont tendance à en faire trop, d'autres pas assez !

En utilisant les techniques Gordon, nous allons pouvoir exprimer une exigence de plus en plus forte, tout en laissant nos proches expliquer leurs réticences, leurs difficultés.

Finalement, et contrairement à ce que nous pensons souvent, prendre le taureau par les cornes n'est pas aussi compliqué que cela en a l'air. C'est un truc à trouver, un savoir-faire à acquérir, comme pour apprendre un nouveau geste au tennis, à la danse, au piano, en cuisine ou dans n'importe quelle activité.

Avec de l'entraînement et de l'expérience, les automatismes se mettent en place et nous n'y pensons plus.

Chapitre 8

Garder le cap dans la tempête

« Quand tout est fichu, il y a encore le courage. »

Daniel PENNAC

Objectif

Comment garder le moral quand tout s'effondre ?

Bonne nouvelle : il n'y a rien d'autre à faire que continuer à progresser sur le chemin vers « qui vous êtes ».

Vous y trouverez :

- Dans le feu de l'action
- Le plaisir de se laisser aller
- Les réflexes de base restent les mêmes
- Faisons un état précis de nos forces et nos manques
- Accepter, agir : OK, qu'est-ce qu'on fait ?
- Cultivons un état d'esprit proactif
- Serein quoi qu'il arrive d'inattendu
- Courage et persévérance

En cas de coup dur, la façon de prendre ce qui nous arrive joue énormément : elle détermine notre réaction et, bien souvent, celle de notre entourage. Allons-nous nous laisser déborder par notre état de défense et le subir sans modération, enclenchant une série de catastrophes en chaîne ? Ou bien allons-nous utiliser nos ressources intérieures pour comprendre cette réaction, la gérer et l'atténuer ?

Dans le feu de l'action

Avec une troupe de comédiens amateurs, **Cécile** *a travaillé d'arrache-pied pour monter une pièce de Marivaux. Le jour de la générale, au moment de faire les derniers réglages,* **Igor**, *son ami éclairagiste, pique une colère et quitte la salle : « Puisqu'on ne m'écoute jamais, vous vous débrouillerez sans moi. » La première a lieu le lendemain, si Igor lâche la troupe, ce sera la catastrophe !*

Il arrive que nous soyons « en prise » au cœur d'une situation relationnelle difficile sans possibilité de nous arrêter pour prendre du recul. Ces situations à chaud sont très périlleuses car nous n'avons pas le temps de désamorcer nos émotions. Notre crocodile est sous pression. Comment faire baisser cette tension ?

- **Si nous sommes dans le repli**, nous sommes comme asphyxiés. Une façon de retrouver nos esprits consiste à nous taire, demander un délai pour donner notre réponse, nous mettre au calme, respirer, et réfléchir. Dès que nous aurons retrouvé le fil, nous nous sentirons mieux, même si aucune décision n'a encore été prise. En nous recentrant, nous reprenons le contrôle.

- **Si nous sommes dans la lutte**, nous nous sentons énervés, nous avons besoin de faire sortir la vapeur. Comme vu précédemment, ne nous en prenons pas à la personne mais à la situation. Identifions des expressions qui nous permettent de « gueuler » un bon coup, tout en faisant bien la distinction entre la situation et la personne : « Vous avez certainement fait tout ce que vous pouviez, j'en suis conscient, et cela me rend fou de rage de ne pas avoir été prévenu de l'annulation de ce rendez-vous ! Je déteste perdre mon temps ! »

- **Si nous sommes dans la fuite**, nous sommes agité, voire paniqué. Bien souvent, il suffit d'exprimer ou de faire exprimer ce qui ne va pas. La parole fait tomber la pression, et notre cerveau, dès lors, trouve des solutions. Cela contribue à nous soulager.

C'est ainsi que procédera **Cécile** : après avoir lancé un SOS à sa meilleure amie, qui l'aide à retrouver son calme, elle court rattraper Igor, lui exprime toute l'admiration qu'elle éprouve vis-à-vis de son travail et sa reconnaissance : « Il y aura dans le public des professionnels du spectacle. Ce serait vraiment dommage que tu ne tires pas parti de tout le travail et de toute l'énergie que tu as mise dans la préparation... »

Calmé et revalorisé, **Igor** accepte de revenir assurer son travail d'éclairagiste. Il s'excuse auprès de Cécile de s'être ainsi énervé.

Une fois la pression évacuée, nous sommes davantage prêts à accepter la situation, peut-être même à en voir le côté positif. Cela nous permet de revenir sur ce que nous avons dit, présenter nos excuses si nous avons poussé le bouchon un peu loin ou, au contraire, préciser notre point de vue et affirmer nos besoins si nous avons manqué d'affirmation.

Le plaisir de se laisser aller

Poussés dans nos retranchements, nous ressentons parfois du plaisir à nous laisser mener par nos impulsions. Nous savons qu'il serait préférable de nous adoucir, nous taire, prendre du recul ou agir, mais la tentation de nous abandonner à notre état de défense est trop forte. Nous y entrons consciemment, tout en sachant le prix à payer... C'est plus fort que nous.

Jimmy, lorsqu'il est très angoissé, ne trouve pas d'autre issue que de parler à la première personne qui lui tombe sous la main. En général, il appelle sa copine au bureau... Et en avant pour le flot de paroles ! Il sent bien que le courant ne passe pas, soit qu'il la dérange, soit qu'elle voit que cette logorrhée ne lui est pas adressée *à elle*, il a juste besoin de parler... Mais tant qu'il n'aura pas déroulé toute sa pelote d'angoisses, il sera incapable de la démêler.

Igor, lorsqu'il a l'impression de s'être donné beaucoup de mal et de ne pas obtenir la reconnaissance escomptée, sent la moutarde lui monter au nez. Dans ces moments-là, il a d'abord envie de casser tout ce qu'il a construit (les amitiés, son travail...), comme pour signifier aux gens : « Vous l'avez cherché, j'arrête de m'investir et tout va partir à vau-l'eau ! Ça vous apprendra à m'exploiter sans contrepartie. »

Rebecca a parfois le sentiment que le monde lui tombe sur les épaules ; c'est si compliqué d'arriver à un tout petit résultat... Et l'agressivité, la négligence de ses proches sont la goutte d'eau qui fait déborder un vase déjà bien rempli. Dans ces moments de grande lassitude, elle boude. Cela peut durer une demi-journée, voire une journée (un temps qui semble très long à ceux qui l'entourent) ; elle sent bien qu'elle les énerve, les déconcerte, les angoisse, mais tant pis pour eux, ils ne tireront pas un mot d'elle. Ça leur apprendra à faire plus attention la prochaine fois.

Il n'y a pas de mal à se laisser aller, de temps à autre, à son état de défense... À partir du moment où c'est un choix lucide, et si ces dérapages restent sous contrôle.

Il n'y a pas de mal à piquer parfois une bonne colère, à se laisser déborder par les idées, à s'enfermer dans son bureau ou dans sa chambre pendant trois heures sans rien faire. Cela fait plaisir, cela soulage et peut être très utile si nous savons nous fixer des limites.

En revanche, évitons d'utiliser ces dérapages pour faire payer aux autres le « mal » qu'ils nous ont fait. Les conséquences seraient l'enclenchement d'un cercle vicieux, la montée en puissance des réactions de défense de part et d'autre.

Les réflexes de base restent les mêmes

Par moments, nous sommes prêts à soulever des montagnes. Nous avons l'impression d'avoir bien compris le mécanisme des états de défense ; nous nous sommes entraînés à formuler des « messages-je », à écouter sans juger, à faire confiance... Et voilà que pour un prétexte futile nous sortons de nos gonds, nous nous mettons à nous agiter ou bien nous nous bloquons. C'est à nouveau le clash, la catastrophe, sauf que nous n'avons plus l'excuse de l'ignorance ! Toute notre belle assurance part en fumée.

Quelle que soit la profondeur du travail accompli sur soi, quand la dose de stress augmente, la réaction qui nous vient instinctivement est toujours notre première réaction de défense. Nous sommes toujours nous-même... Heureusement !

> Le mode d'emploi reste similaire : revenir en arrière, corriger le tir auprès des personnes concernées, prendre nos dérapages avec recul et, si possible, humour. En profiter pour progresser dans l'évolution de nos comportements et pour nourrir nos besoins fondamentaux (sécurité, identité, sens) par des activités adéquates.

Au fur et à mesure des années, nous allons apprivoiser toujours mieux nos réactions de défense et reculer leur seuil de déclenchement.

Faisons un état précis de nos forces et de nos manques

Quand tout va mal, quand tout s'effondre, l'une des premières choses à faire, c'est un bilan : ce qui a disparu, ce qui risque de disparaître et, surtout quels sont les éléments solides sur lesquels nous appuyer pour reconstruire ?

Une image : un chef d'état-major, sur une colline, le soir après la bataille. L'important pour lui ? Préparer celle du lendemain. Il a besoin de savoir précisément quelles sont les forces perdues et celles disponibles.

Autre image moins guerrière : faire ses comptes, après des vacances ou une période agitée sur le plan financier. Regarder ce qui reste pour faire face aux dépenses des mois suivants.

Là encore, il s'agit de revenir au concret, au factuel. Il est plus facile de gérer la pénurie que de faire face à l'incertitude.

En revenant aux faits nous sortons du registre de l'émotion. Notre horizon intellectuel s'ouvre à nouveau, nous retrouvons nos capacités à trouver des solutions concrètes et efficaces. Deuxième élément important, mettre en évidence le chemin parcouru, les résultats obtenus : la manière dont nous nous en sommes tirés les fois précédentes...

Si nous retraçons ce qui a été accompli, nous sommes souvent étonné. Il s'est passé beaucoup plus de choses que nous ne l'imaginions ! Seuls, face à nous-même, faire revenir en mémoire les situations similaires dont nous sommes bien sorti nous permet de reprendre confiance.

Ce constat est rassurant pour chacun et plus encore pour ceux dont le mode principal de réaction est la fuite.

À vous de jouer

Faites régulièrement la liste de vos réussites, tant individuelles que collectives : ainsi, vous engrangerez des réserves pour l'hiver.

Accepter, agir : OK, qu'est-ce qu'on fait ?

***Nicolas** rentre chez lui très abattu : aujourd'hui se terminait la période d'essai pour son nouveau poste, et son employeur ne souhaite par le garder. Cela tombe mal, car lui et sa copine ont décidé de se séparer et il va devoir déménager. De plus, brouillé avec sa mère, non seulement il n'a plus de salaire mais il ne sait pas où habiter dans quinze jours.*

Comme d'habitude, dans ce genre de situation, il cumule également les petits ennuis (chaussures à changer, téléphone portable en panne...) Tout s'effrite autour de lui !

Il n'y a pas de remède miracle : l'élément le plus puissant pour redresser une situation catastrophique, c'est notre engagement et notre ténacité face aux difficultés. Cette ténacité rassure ceux qui nous entourent et nous rassure nous-même.

8. Garder le cap dans la tempête

Nous avons besoin de renforcer et de consolider notre confiance en nous – à titre individuel et à titre collectif. Allons-nous faire face ? Tant que la réponse intuitive est oui, notre énergie est disponible. Dès que les doutes apparaissent, l'énergie s'évapore.

Dans toute situation, ce qui compte c'est d'avancer, obtenir des résultats tangibles, se sentir utile. Et peu importe si, au bout du compte, tout ne marche pas aussi bien que prévu. Rappelons-nous les éléments clés de la motivation : je sais qui je suis (points forts et points faibles), je sais où je vais (et pourquoi), je sais comment j'y vais (étapes intermédiaires et façon de gérer les obstacles). Cela donne une base concrète sur laquelle appuyer sa confiance.

La difficulté : comment y parvenir ?

Depuis quelque temps, **Nicolas** *participe à un groupe de coaching. Lors de la séance de travail suivante, il expose la situation devant les autres participants. Après l'avoir laissé exprimer ses difficultés, ses regrets et ses craintes, l'animateur l'interroge : « Nous avons entendu tes difficultés, et maintenant que vas-tu faire ?... Reprenons chaque problème point par point et, sur chacun, je te propose de regarder les marges de manoeuvre dont tu disposes. Pose-toi la question : "OK ! Qu'est-ce que je fais ?" »*

Progressivement Nicolas a pris conscience que les problèmes étaient importants mais que la situation n'était pas si désespérée : il allait vraisemblablement toucher les Assedic ; pour le logement, il peut habiter quelque temps chez un ami ou chez un de ses oncles qui lui a toujours promis son soutien. Petit à petit, il a passé en revue les différents aspects de sa vie et repris confiance en sa capacité à se sortir de ce moment difficile.

La phrase « OK ! Qu'est-ce qu'on fait ? » est particulièrement utile quand le moral flanche et que les difficultés se multiplient. Elle permet de rester dans l'optique « état des lieux ».

Reconnaître que là, maintenant, cela va mal, nous ouvre la possibilité d'avancer. Cette attitude contribue à nous faire sortir de nos réactions de défense et nous remet dans une démarche positive.

« OK ! », cela veut dire : « Je prends acte de la situation telle qu'elle est, même si elle ne correspond pas à celle que j'avais espérée... »

« Qu'est-ce qu'on fait ? » : « et ce n'est pas *une raison* pour se laisser abattre ». Plus nous avons de difficultés et plus cela peut nous donner l'occasion d'aller chercher au fond de nous les talents qui sont les nôtres et que rien ne peut nous enlever. Coupons les branches mortes et continuons à progresser.

« Oui, notre découvert bancaire est important et ne nous permet pas de faire le voyage que nous avions prévu ; si nous en profitions pour passer les vacances chez nos cousins qui nous le proposent depuis longtemps ? Oui, ma situation professionnelle est difficile, mais je me sens soutenu au sein de ma famille... Oui, ma mère a un problème de santé sérieux mais elle a un très bon moral... Oui, la situation est bien celle que nous observons, particulièrement difficile ou douloureuse, et *la partie n'est jamais perdue* tant que nous n'avons pas renoncé.

OK, c'est la cata ! reconnaît **Nicolas**. *Mais je vais toucher les Assedic et mon oncle pourra peut-être m'héberger quelques semaines. Il pourra m'aider à me remettre en selle et à trouver des pistes de boulot !*

Garder le cap dans la tempête

À vous de jouer

Penser à la phrase : « OK ! Qu'est-ce qu'on fait ? » a différents moments, dans différentes situations. Quelles réflexions cette phrase suscite-t-elle en vous ?

Sentez-vous libre de la modifier pour qu'elle s'adapte parfaitement à votre vocabulaire et à votre façon de penser.

Cultivons un état d'esprit proactif

__Gwën__ travaille en free lance pour des agences de design. Comme elle excelle dans son domaine et dégage un certain charisme, une agence importante lui a demandé d'être chef de projet sur un appel d'offres. Le problème pour Gwën est le suivant : comment jouer son rôle et motiver les designers qu'elle encadre « sans dessiner et concevoir à leur place » (ce sont les termes de l'accord) ?

L'état d'esprit est décisif : soyons proactifs !

Au cours des dernières années, beaucoup de spécialistes dans le domaine du management ont parlé de proactivité. Il s'agit de passer de réactions automatiques, non choisies, à des actions choisies et créatives pour répondre à une influence externe ou interne.

Pour développer cet état d'esprit, nous vous proposons d'observer ce qui se passe en vous et de passer :

- D'une attitude **passive** (j'accepte, je subis) à une attitude **active** : « OK ! Qu'est-ce qu'on fait ? »

Pour Gwën, de « Je me plie à leurs contraintes » à « Je choisis ma stratégie ».

- D'une démarche de type « **s'éloigner de** » (je ne veux plus de ceci, de cela, etc.) à une démarche de type « **aller vers** » : « quels sont mes objectifs, qu'ai-je envie d'obtenir ? »

Pour Gwën, de « Je ne veux pas donner mes idées sans être sûr qu'elles me soient attribuées » à « J'accepte de transmettre mes idées pour faire connaître mon talent ».

- D'un mode de réflexion de type « **mismatch** » (observer tout ce qui manque) à un mode de réflexion de type « **match** » : « concentrons-nous sur nos points d'appui positifs ; à partir de quels éléments pouvons-nous commencer à construire ou reconstruire ? »

Pour Gwën, de « Je n'ai pas suffisamment de réunions avec le patron. Je ne me sens pas reconnue » à « J'ai déjà instauré des relations de confiance avec les principaux responsables ».

- D'une approche de type « **nécessité** » (il faut, je dois, je me force à faire ce que j'ai à faire) à une approche de type « **possibilité** » : « je regarde tous les bénéfices que je vais pouvoir tirer de ce que j'ai à faire[1]. »

Pour Gwën, de « Il faut que je fasse mes preuves dans ma fonction » à « J'ai envie de réussir ce projet parce qu'il me tient à cœur ». Lorsque l'agence remportera l'appel d'offre, le patron mettra en évidence devant tout le monde la contribution importante que Gwën a eu dans cette réussite. Il lui proposera de devenir associée.

Nous savons tous à quel point l'état d'esprit est décisif dans les capacités de victoire d'une équipe sportive. Il en est de même dans tous les domaines.

À vous de jouer

Chaque fois que vous vous surprenez à critiquer une situation ou une personne, efforcez-vous de passer d'une approche passive à une approche active, de « s'éloigner de » à « aller vers », de « mismatch » à « match », de « nécessité » à « possibilité ». Et, surtout, prenez-le comme un jeu !

1. Ces quatre principes sont tirés de la PNL.

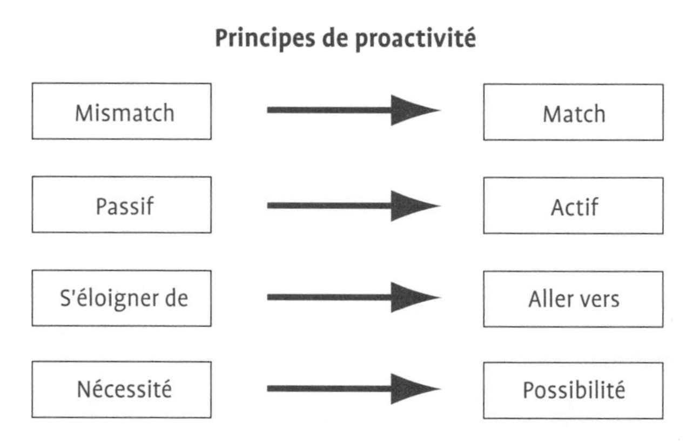

Serein quoi qu'il arrive d'inattendu

« Rester serein quoi qu'il arrive d'inattendu » : dans les situations ou délicates, cette expression a un caractère provocateur. Comment conserver sa sérénité quand tout s'effondre ?

> La sérénité n'est pas le résultat d'une série d'actions ou de réussites : c'est un choix.

La question n'est pas « Quels résultats dois-je atteindre pour devenir serein ? » mais « Comment rester serein, quelles que soient les circonstances, pour obtenir ainsi les meilleurs résultats possibles » ?

Il n'est pas question de nier les obstacles, ni d'endormir les gens ; il s'agit au contraire de mettre les pieds dans le plat, d'exprimer la réalité des faits, même désagréables, et de les exprimer de façon factuelle ; puis de mobiliser toutes les énergies pour parvenir à la mise au point de solutions et de plans d'actions pertinents.

À titre individuel, il existe un grand nombre de techniques. Libre à vous de choisir celle qui vous correspond le mieux.

Cultiver la sérénité : quelques techniques...

- **La méditation.** Pratiquer une technique de méditation qui nous convient provoque une mise en résonance des neurones. Un moment de méditation apporte relaxation et tranquillité. Ce temps de ressourcement ne dépend que de moi. Je peux le pratiquer quand je le décide. Je peux l'utiliser quand c'est trop dur ou juste pour me reposer. J'ai une échappatoire disponible à tout moment.
- **Les techniques d'ancrage et de visualisation.** Au moment où vous sentez que vous allez « péter les plombs », rappelez-vous un moment où vous étiez en pleine possession de vos moyens. Utilisez un ancrage ou un totem pour revivre des impressions positives et vous en imprégner. Faites-le régulièrement ; trouvez-en de nouveaux, adaptés à chaque situation difficile que vous risquez d'affronter.
- **Les techniques issues des arts martiaux.** Entraînez-vous à fixer un point en face de vous. Faites-le chaque jour, une à deux fois par jour, pendant dix, puis vingt, puis trente secondes. Cela vous permettra de rester concentré quand vous en aurez besoin, en particulier si quelqu'un vous agresse verbalement ou physiquement.
- **La philosophie ou la spiritualité.** Que ce soit le stoïcisme, la charité chrétienne, la philosophie zen, le bouddhisme classique, la sagesse du soufisme, etc.
- **Le sport et les activités physiques,** par la respiration, le yoga, l'haptonomie.
- **Les techniques de relaxation, les massages, l'acupuncture.**
- **L'esprit d'équipe et les relations interpersonnelles** : faites des activités qui vous plaisent, des petits cadeaux, des compliments gratuits, reconnaissez les efforts accomplis... Si la relation est nourrie, au moment où il y a une difficulté, tout le monde sera ensemble.

Et vous, où en êtes-vous ?

Quelles sont les qualités que vous mettez en œuvre face à un obstacle ?

Quelles sont les ressources, les ancrages que vous pouvez utiliser pour améliorer vos capacités de résistance ?

Quelles conclusions en tirez-vous ? Quelle énergie pouvez-vous aller chercher quand tout va mal ?

Courage et persévérance !

« Tout ce qui peut être fait un autre jour le peut être aujourd'hui. »

MONTAIGNE

Quel que soit notre profil de personnalité, il n'est pas facile d'affronter les obstacles. Cela génère automatiquement en nous des réactions, des résistances, des agacements...

Par définition, dès que nous rencontrons une difficulté ou un objectif un peu ambitieux, ce qui surgit, ce sont d'abord toutes les impossibilités, toutes les bonnes raisons d'échouer.

C'est dans ces moments-là que nous commençons à prendre conscience de l'importance de travailler sur nous-même, d'apprendre à piloter les mouvements internes qui se produisent en nous. C'est dans ces moments-là que les techniques du totem et de l'ancrage sont particulièrement utiles pour chasser les émotions négatives.

Quand, face à un obstacle, nos impulsions nous disent : « Qu'est-ce que c'est encore que ce bazar ! Je n'y arriverai jamais... Quelle tuile ! Que va-t-il me tomber dessus maintenant ? », le réflexe à développer consiste à remercier notre crocodile : « Merci cher crocodile de m'avoir signalé le danger... Je vais en profiter pour mettre en œuvre les aspects positifs de ma personnalité, ainsi que tout ce que j'ai appris dans le domaine de l'efficacité personnelle, relationnelle et managériale. Fais-moi confiance, je m'y attelle ! »

Faites-vous « l'avocat de l'ange » : trouvez tout ce qu'il y a de positif dans ce qui est en train de se passer. Vous pourrez vous rendre compte de l'énergie que cette attitude génère en vous et autour de vous.

Pour continuer à vous alimenter en expressions à la fois simples et précieuses...

Nous vous recommandons l'utilisation de l'expression « justement ».

« C'est justement parce qu'ils sont énervants qu'il y a quelque chose à faire avec eux ; c'est justement parce que j'ai très peur de cette situation que je vais aller voir de plus près ; c'est justement parce que j'ai l'impression que tout est fichu que je vais pouvoir être utile. »

Cette expression est un bon moyen de transformer la façon dont nous percevons un événement ; la pire difficulté peut ainsi être envisagée de façon proactive.

À vous de jouer

Parmi les repères mnémotechniques, et les savoir-faire présentés ci-dessus, choisissez en deux ou trois qui vous semblent les plus adaptés à votre personnalité et entraînez-vous à les mettre en œuvre sur des situations à faibles enjeux de façon à les avoir à votre disposition pour affronter vos prochains obstacles.

Une histoire chinoise

Jadis, vivait en Chine un empereur très puissant. Son pays était plus étendu que celui de tous ses prédécesseurs, son palais était somptueux, son administration fonctionnait à merveille et sa renommée s'étendait au-delà des mers. Pourtant ses astrologues étaient inquiets : une grande menace semblait peser sur le pays.

Quelques semaines plus tard, un tremblement de terre de grande amplitude détruisit la capitale. De tout ce que l'empereur avait mis des années à construire, il ne restait que des décombres. Les morts étaient nombreux. Sa femme et une grande partie de sa cour avaient péri dans l'effondrement du palais.

8. Garder le cap dans la tempête

L'empereur, ayant par miracle échappé à la mort, se tenait immobile devant les décombres de sa ville. Abasourdi par un tel coup du sort, il hésitait entre la rage et les pleurs. Comment les dieux avaient-ils pu commettre une pareille injustice ? Comment reconstruire tout ce qui avait été détruit ? Où trouver l'énergie de refaire ce qu'il avait déjà fait ? Vraiment, il ne s'en sentait plus capable. Si son fils avait été en âge de prendre la suite, il lui aurait transmis le flambeau... Mais c'était encore un petit garçon.

Par quel bout commencer ?

Tout à coup, il aperçut un vieil homme à quelques mètres de lui. Il reconnut l'un des sages qu'il hébergeait jusqu'à présent dans son palais. Ce n'était pas l'un de ceux qui se faisaient remarquer par son intelligence ni par ses discours. Plutôt discret et effacé, ce vieil homme avait une attitude qui lui sembla étrange : il était en train de ramasser des pierres et de reconstruire un mur !

L'empereur s'approcha :

« Que fais-tu ?

– Tu le vois bien : je reconstruis un mur.

– À quoi bon ? Ce n'est pas ton métier, et tu es très âgé !

– Regarde autour de toi : les maisons sont effondrées, beaucoup de gens sont morts. À quoi cela servirait-il que je continue à étudier et à enseigner à mes élèves alors que je n'ai même plus un toit pour m'abriter ? Et toi, empereur, que fais-tu là à me parler ? N'as-tu pas mieux à faire ?

– J'avoue ne pas savoir par où commencer... Tout ce que je sais faire, c'est commander à mes ministres et à mes serviteurs, et ils sont morts...

– Regarde autour de toi : la vie ne s'est pas arrêtée. Tu verras toutes sortes de gens qui, chacun en fonction de sa force, se sont mis à reconstruire, à soigner les blessés, à enterrer les morts. Observe la différence avec ceux qui sont en train de se lamenter et d'en vouloir aux dieux ! »

L'empereur interrogea le vieil homme :

« Que puis-je faire qui en vaille la peine ?

– Les gens autour de toi, de quoi ont-ils besoin ? Pas de discours, mais d'un peu d'aide et de ton soutien. Trouve un endroit où tu puisses être utile et commence à reconstruire. »

L'empereur sortit du palais et vit une femme et ses deux enfants construisant un abri pour la nuit. Il s'arrêta auprès d'elle et se mit à l'aider. Voyant cela, deux personnes aux alentours unirent leur effort au sien. Petit à petit, d'autres personnes se mirent à aider d'autres femmes et d'autres enfants. Ils aidèrent également des gens âgés qui n'avaient pas assez de force pour reconstruire seuls une maison de fortune.

Progressivement, toute la ville se mit au travail. Puis du renfort arriva pour aider à la reconstruction. L'empereur avait retrouvé son énergie et son dynamisme. Il avait même l'impression d'avoir retrouvé sa jeunesse.

Et à chaque fois que quelqu'un lui demandait : « Que puis-je faire ? », sa réponse était la même, il rendait grâce au vieil homme et à son idée toute simple et lui disait : « Trouve un endroit où tu puisses être utile et commence à reconstruire. »

Ne changeons pas d'objectifs, ne nous laissons pas attirer par un chiffon rouge ni effrayer par un masque, même grimaçant.

Avant de conclure...

Comment maintenir un état positif quand tout s'effondre autour de nous ?

En faisant appel aux ressources et aux savoir-faire que nous avons accumulés au préalable. Il n'y a pas de miracle : comme dans toute activité professionnelle, sportive, artistique, etc., la seule façon d'obtenir de bons résultats au moment de la compétition, c'est d'être très bien entraîné. Tous les savoir-faire et les savoir être dont nous avons parlé sont des habitudes comportementales qui s'acquièrent. Plus vous serez entraîné à les mettre en œuvre, plus vous serez maître de la situation en cas de tension.

Conclusion

Et si le paradis, c'était les autres ?

Comme ils sont pénibles, tous ces autres qui nous gênent, nous freinent, se mettent en travers de notre route, bref, nous empêchent d'être qui nous sommes. Nous avons un projet, et ils en ont un autre qui le contrecarre ; nous avons une organisation, et ils nous demandent de la changer ; nous sommes de bonne humeur, et ils nous lancent une plaisanterie qui blesse ; nous aimons notre travail, ils ne cessent de nous rajouter des contraintes administratives... Quelquefois, nous rêvons de leur arracher les yeux, fuir le plus loin possible ou nous enfermer chez nous, à double tour, tellement ils nous horripilent.

Au contraire, quoi de plus enthousiasmant que d'appartenir à une équipe – familiale, amicale, professionnelle – qui marche ? Quoi de plus stimulant que de mettre son talent au service des autres et de sentir que cela leur est utile ? Dans ces cas-là, nous avons l'impression de nous trouver sur une planche de surf et d'être porté par une vague puissante et chaleureuse. Tout s'enchaîne de façon positive. Nous souhaiterions que ce moment ne s'arrête jamais.

Mais ces moments privilégiés semblent être le fruit du hasard et de conditions particulières que nous ne pouvons maîtriser.

Je suis persuadé qu'il n'y a pas plus de hasard dans le fonctionnement des relations que dans les lois de la gravité. Ce n'est pas parce que nous ne les maîtrisons pas complètement qu'elles n'existent pas. Ce n'est pas parce qu'elles sont étonnantes qu'elles ne sont pas justes. Nous sommes comme les scientifiques avant Newton, Galilée, Einstein. Un nouveau champ d'exploration s'ouvre à nous, un nouvel espace de lois, de règles et de principes reste à découvrir.

Cette forme de bonheur ne dépend de rien ni de personne. Elle ne coûte rien, n'a pas de conséquences négatives, et son accoutumance est bénéfique. La seule chose dont nous ayons besoin, c'est de nous trouver en compagnie d'autres personnes ; à nous de décider de la façon dont nos relations vont se dérouler. Bien sûr, il y a des interlocuteurs imposés mais, même alors, notre attitude est déterminante. Plus nous serons entraîné et compétent dans le domaine des relations, plus nous parviendrons à nous sentir à l'aise et efficace dans les situations difficiles.

L'autoritarisme, le consensus mou, la fuite en avant ne sont pas des fatalités. Tous les outils, toutes les techniques, tous les savoir-faire existent pour faire plus et mieux.

« C'est trop beau pour être vrai », pensez-vous peut-être... Je n'ai jamais dit que c'était facile, ni que vous alliez être capable de tout mettre en œuvre du jour au lendemain.

En revanche, je suis convaincu, par tout ce que j'ai pu étudier, observer et mettre en place, qu'il est possible d'obtenir simultanément plus de bien-être et d'efficacité en utilisant les approches et les savoir-faire décrits dans cet ouvrage.

Je fais le pari qu'au cours de ce siècle, de plus en plus de gens parviendront à apprivoiser les réactions automatiques héritées de notre partie animale. Que les élites intellectuelles, politiques et économiques vont progressivement prendre conscience des bénéfices importants qu'ils pourront tirer de cette évolution. Et qu'ils contribueront, de ce fait, à en favoriser le développement.

Je fais le pari que nos relations avec les autres seront plus fréquemment sources de satisfaction et d'épanouissement, avec toutes les retombées positives imaginables, dans notre famille, notre vie sociale et nos activités professionnelles.

Notre avenir est entre nos mains et il sera très exactement ce que nous aurons choisi qu'il soit.

À vous de jouer ! Plus nous serons nombreux, plus la partie sera belle et nos combats victorieux et enrichissants.

Le paradis, c'est peut-être les autres, et cela commence maintenant !

Bibliographie

AIMELET-PERISSOL, Catherine, *Comment apprivoiser son crocodile*, Robert Laffont, 2002.

ANDRÉ, Christophe, LELORD, François, *L'estime de soi*, Odile Jacob, 2003.

ANSEMBOURG, Thomas d', *Cessez d'être gentil, soyez vrai !* Les Éditions de l'Homme, 2002.

CARLIER, Claude, *Le crocodile, le cheval, l'homme*, Écologie humaine, 2002.

CAYROL, Alain, et SAINT-PAUL, Josiane de, *Derrière la magie : la PNL*, InterÉditions, 1984.

CYRULNIK, Boris, *Les vilains petits canards*, Odile Jacob, 2004.

DAMASIO, Antonio R., *Spinoza avait raison*, Odile Jacob, 2003.

GOLEMAN, Daniel, *L'intelligence émotionnelle*, J'ai lu, 2002.

GORDON, Thomas, *Relations efficaces : comment construire et maintenir de bonnes relations*, Le Jour Éditeur, 2003.

GORDON, Thomas, *Parents efficaces*, Marabout, 1996.

GORDON, Thomas, *Leaders efficaces*, Le Jour Éditeur, 1995.

HAUVETTE Didier, VANBREMEERSCH Christie, *Le pouvoir des émotions*, Éditions d'Organisation, 2005.

LABORIT, Henri, *La nouvelle grille*, Gallimard, 1999.

SAINT-PAUL, Josiane de, *Choisir sa vie*, InterÉditions, 1999.

SALOMÉ, Jacques, *T'es toi quand tu parles*, Albin Michel, 1992.

SERVAN-SCHREIBER, David, *Guérir*, Robert Laffont, 2003.

VINCENT, Jean-Didier, *Le cœur des autres*, Plon, 2003.

Table des matières

Remerciements 5
Avertissement 7
Sommaire 9

Introduction : Nous sommes assis sur un tas d'or 11

Pourquoi cela se termine-t-il toujours de la même manière ? 13
  C'est plus fort que moi 14
  Le paradoxe des réactions émotionnelles 15
Le tas d'or 16
  Le tas d'or collectif 17
« Enfin, j'ai trouvé les manettes ! » 18
Comment utiliser ce livre ? 19

Première partie : Se connaître 21

Chapitre 1 : Comprendre ce qui se passe en nous 23

Ces émotions qui nous gouvernent 26
  Prendre en compte les émotions dans notre vie professionnelle 28
  Prendre en compte les émotions avec notre famille, nos amis, notre entourage 29
  Comprendre nos réactions pour mieux les piloter 29
Les trois états de défense 30
La spirale de l'incompréhension 34
Nos trois besoins vitaux 36
Nous avons les qualités de nos défauts 37
Arrêtons de nous culpabiliser 40

Chapitre 2 : Utiliser ses émotions comme moteur 43

Apprivoisons nos énergies 45
Reconnaissons notre état 47
Faisons preuve d'empathie avec nous-même 49
  Si nous sommes en colère... 49
  Si nous sommes anxieux... 52
  Si nous sommes en repli... 55
Mettons-nous dans la peau de notre totem 59
Bâtissons-nous des points d'ancrage 62

Deuxième partie : Prendre confiance en soi 67

Chapitre 3 : Construire les fondations 69

« Deviens ce que tu es » 71
Commençons par mieux nous connaître 72
Appuyons-nous sur nos points forts 73
Trouvons notre propre mode d'emploi 75
Renforçons notre assurance 75
Appuyons-nous sur nos réussites 77
Identifions notre valeur ajoutée 81
Quel est mon talent ? 83
L'exemple significatif 85
Et nos défauts ? 88

Chapitre 4 : Se mettre en route vers son objectif 91

Ras-le-bol ! 93
Les trois axes de la motivation : qui, où, comment ? 94
Où vais-je ? 96
  Identifions nos objectifs à court, moyen et long terme 98
  Reconnectons-nous avec nos rêves 99
  À la fin de ma vie... 101
Marcher vers le but que je me suis fixé (comment j'y vais ?) 104
  Fixons-nous des étapes accessibles 104
  Quel sera notre premier pas ? 105

Table des matières

Affronter les obstacles ? 107
Distinguons deux types d'obstacles 108
Utilisons notre chemin naturel 108
Élargissons notre chemin de progression 110
Trouvons les chemins qui nous correspondent 111
À chacun ses leviers 113

Troisième partie : Communiquer.......... 117

Chapitre 5 : Développer son efficacité relationnelle 119

Affirmons-nous mieux 122
Exprimons clairement notre message 123
Concentrons-nous sur les faits : le « message-je » 126
Du « message-tu » au « message-je » 128
Alternons affirmation et écoute 131
L'écoute, notre meilleure alliée 133
Mettons le turbo dans notre écoute : « l'écoute active » 136
Il n'y a pas de comportement aberrant 139
Il y a toujours une raison pour ne pas écouter 141
Repartons sur de nouvelles bases 143
Construisons des solutions sans perdant 144
Inscrivons nos relations dans le long terme 149
Conflits de solutions et conflits de valeurs 150

Chapitre 6 : Passer de l'opposition au partenariat 153

Préparons-nous avant une discussion 156
Du « mais » qui oppose au « et » qui rassemble 159
Cessons de vouloir avoir raison 160
Les facettes d'une même réalité 161
Les douze risques quand nous communiquons 163
Enrichissons nos stratégies de communication 166
Cessons de faire toujours plus de la même chose 166
Les 7 + 1 stratégies de communication 167
La huitième corde à notre arc 169
Six profils complémentaires 171

Vivre et communiquer avec les différents profils 174

Quatrième partie : Vivre ensemble 175

Chapitre 7 : Construire la confiance 177

Vivre ensemble, ce n'est pas naturel 180
Communiquons sur notre façon de fonctionner 181
Ayons un projet commun 184
Luttons contre l'inertie, prenons le taureau par les cornes 185
Attaquons-nous aux faits, pas aux personnes 188
Passons-nous le ballon, faisons ce pour quoi nous sommes doués 190
Restons attentifs aux réactions du crocodile 191

Chapitre 8 : Garder le cap dans la tempête 195

Dans le feu de l'action 198
Le plaisir de se laisser aller 199
Les réflexes de base restent les mêmes 200
Faisons un état précis de nos forces et de nos manques 201
Accepter, agir : OK, qu'est-ce qu'on fait ? 202
Cultivons un état d'esprit proactif 205
Serein quoi qu'il arrive d'inattendu 207
Courage et persévérance ! 209

Conclusion : Et si le paradis, c'était les autres ? 213

Bibliographie 217

Dépôt légal : juin 2005
Imprimé en Allemagne
par Clausen & Bosse